Leonis
Les Masques de l'Ombre

Dans la série Leonis

Leonis, Le Talisman des pharaons, roman, 2004.

Leonis, La Table aux douze joyaux, roman, 2004.

Leonis, Le Marais des démons, roman, 2004.

Roman pour adultes chez le même éditeur

Le Livre de Poliakov, roman, 2002.

MARIO FRANCIS

Leonis
Les Masques de l'Ombre

Les Éditions des Intouchables bénéficient du soutien financier de la SODEC, du Programme de crédits d'impôt du gouvernement du Québec, du PADIÉ et sont inscrites au Programme de subvention globale du Conseil des Arts du Canada.

LES ÉDITIONS DES INTOUCHABLES
2316, avenue du Mont-Royal Est
Montréal, Québec
H2H 1K8
Téléphone : (514) 526-0770
Télécopieur : (514) 529-7780
www.lesintouchables.com

DISTRIBUTION : PROLOGUE
1650, boulevard Lionel-Bertrand
Boisbriand, Québec
J7H 1N7
Téléphone : (450) 434-0306
Télécopieur : (450) 434-2627

Impression : Transcontinental
Infographie et maquette de la couverture : Benoît Desroches
Illustration de la couverture : Emmanuelle Étienne

Dépôt légal : 2005
Bibliothèque nationale du Québec
Bibliothèque nationale du Canada

ISBN 2-89549-168-2

1
LE PREMIER COFFRE

La lumière laiteuse de la lune faisait naître des serpents furtifs et argentés sur la surface sombre du Nil. À moins d'une heure de navigation de Memphis, un modeste bateau de pêcheurs pénétra dans les roseaux bordant la rive occidentale. Le nez de l'embarcation s'enfonça dans la vase, marquant ainsi, pour ses trois jeunes occupants, la fin d'une éprouvante et périlleuse expédition. Lorsque, dans un raclement discret, la barque s'échoua sur le rivage, son équipage demeura silencieux et immobile. Le trio écouta longuement les bruits de la nuit. Une chouette hulula dans un sycomore qui surplombait l'eau de ses ramures touffues. Les grenouilles attachaient la cadence de leurs coassements aux stridulations des criquets. Il s'agissait de la rumeur apaisante et familière des rives du grand fleuve sous les étoiles. Tout était calme. Dans le parfum entêtant des acacias en fleurs, la glorieuse Égypte dormait paisiblement.

— Je crois que nous pouvons descendre, murmura l'un des passagers.

— Ce serait une erreur, Montu, affirma celui qui se tenait sur le devant du bateau.

— De quoi as-tu peur, Menna ? Dans cette obscurité, aucun de nos ennemis n'aurait pu nous voir gagner la rive.

— Je n'ai pas peur de nos ennemis, Montu. Seulement, si tu te donnais la peine de regarder autour de toi, tu verrais que nous sommes entourés de crocodiles...

Montu plissa les paupières pour scruter les ténèbres. Il remarqua, en effet, quelques paires d'yeux luminescents dans les joncs environnants. Menna continua :

— La nuit, les crocodiles relâchent habituellement leur garde. Pourtant, il ne faudrait pas risquer de les énerver ou de trébucher sur l'un d'eux. Nous avons un coffre assez lourd à transporter et Leonis a encore mal à la cheville. Si l'une de ces bêtes se précipitait sur nous, nous aurions de la difficulté à fuir.

Montu émit un petit rire avant de déclarer, sur un ton malicieux :

— Puisque Leonis est l'enfant-lion et qu'il n'a rien à craindre de la part des animaux, il pourrait chatouiller les crocodiles pendant que nous emporterons le coffre.

— Tu as toujours le mot pour rire, mon vieux Montu, répliqua Leonis. Ces sympathiques créatures m'ont déjà sauvé la vie, mais je préfère me tenir loin d'elles. Qui sait? Je pourrais m'attacher à l'une de ces bêtes au point de vouloir la ramener à la maison!

— Je vais faire de la lumière, proposa Menna. Si je ne me suis pas trompé d'emplacement, il y a une chaussée à quelques pas de nous. Il nous suffira de l'atteindre pour être en lieu sûr.

En peu de temps, après avoir manipulé de façon experte un bois de feu, Menna enflamma la mèche de sa lampe. La lueur qu'elle prodigua était faible. Toutefois, ils purent aisément apercevoir l'extrémité d'une digue qui se trouvait devant eux. Fier de lui, le jeune homme lança:

— Et voilà, mes amis! Malgré l'obscurité, je vous ai menés exactement au bon endroit.

— C'est extraordinaire, Menna! apprécia Leonis. J'ignore comment tu as fait. Même si la lune brille, je voyais à peine le rivage quand nous étions sur le fleuve.

— Je connais bien ce coin, Leonis. La demeure de mes parents est située non loin d'ici. Quand j'étais petit, mon père m'amenait souvent pêcher la nuit. Nous avions des points de repère pour nous diriger dans le noir. Je suis heureux de constater qu'ils existent toujours. Il est temps de descendre, maintenant. J'aime bien l'aventure, mais j'ai hâte de me reposer un peu. Ne faites aucun geste brusque et les crocodiles n'attaqueront pas. Montu va m'aider à transporter le coffre. Es-tu prêt, Leonis?

— Je suis prêt, Menna. Que faisons-nous de l'équipement?

— Nous n'allons emporter que nos arcs et nos flèches. Demain, quelqu'un s'occupera de la barque. Après avoir caché le coffre, j'irai placer trois cailloux devant la porte de mon père pour lui signaler mon arrivée. Ensuite, nous rallierons Memphis en empruntant les champs. Les adorateurs d'Apophis doivent certainement surveiller les chemins.

Le précieux coffre auquel Menna venait de faire allusion fut délivré de l'amas de filets de pêche qui, durant le voyage de retour, l'avait préservé des envisageables regards indiscrets. Sous l'éclairage de la lampe, sa masse dorée lançait des reflets chatoyants. Pendant cent cinquante années, cet objet magnifique avait été dissimulé dans les entrailles d'un immense rocher situé aux confins du delta du Nil. Leonis et ses compagnons avaient dû affronter bien des dangers pour mettre la main sur ce mystérieux et inestimable coffre[1]. À lui seul, ce trésor aurait permis à un jeune individu de profiter d'une existence fastueuse jusqu'à la fin de ses jours. Toutefois, la splendeur et la valeur du coffre n'avaient rien eu à voir avec les efforts que l'enfant-lion, Montu et Menna avaient consacrés pour le retrouver. Car, entre ses flancs d'or massif finement ouvragé reposaient trois des douze joyaux qui, une fois tous réunis sur la table solaire qu'abritait un temple d'Héliopolis, sauveraient l'Égypte de l'imminent cataclysme qui la menaçait. La mission du jeune Leonis était de préserver l'Empire de ce grand fléau. Pour y arriver, il devrait livrer l'offrande suprême qui apaiserait la colère du dieu-soleil Rê. L'adolescent était l'enfant-lion annoncé par l'oracle et, jusqu'à présent, avec l'aide de ses valeureux amis, il s'était fort bien acquitté de sa lourde tâche. Les trois premiers joyaux se trouvaient désormais en sa possession. Le monde n'était pas sauvé pour autant, mais un important segment du chemin conduisant les hommes vers leur rédemption venait d'être franchi.

Leonis fut le premier à quitter la barque. Treize jours auparavant, en chutant dans un orifice masqué par la végétation, il s'était

---

1. VOIR *LEONIS TOME 3, LE MARAIS DES DÉMONS.*

infligé une sévère entorse à la cheville. La blessure guérissait bien. Il devait toutefois s'appuyer sur un bâton pour marcher sans trop de douleur. La voie menant à la digue était libre. Les crocodiles étaient suffisamment loin. Si jamais l'un d'eux tentait de donner l'assaut, Leonis n'aurait aucun mal à atteindre la chaussée surélevée avant d'être rejoint par le reptile. De plus, comme l'avait souligné Montu, l'enfant-lion possédait un don particulier qui le protégeait des animaux redoutables. Quelques mois plus tôt, un crocodile l'avait sauvé d'une mort certaine en lui faisant traverser le Nil pendant qu'il était inconscient. Par la suite, emprisonné dans la pénombre d'un sinistre cachot, le garçon avait été livré à la hargne d'une foule de cobras. Les serpents l'avaient épargné et, grâce à cette concluante épreuve, les prêtres qui avaient assisté à la scène avaient acquis l'assurance que leur prisonnier était bel et bien le sauveur de l'Empire annoncé par l'oracle de Bouto. Ce mystérieux pouvoir avait donc tiré Leonis d'embarras à quelques occasions. Seulement, il n'y avait aucun risque à prendre. Même s'il commençait à bien connaître ce sournois visiteur qu'on appelle le danger, l'adolescent n'avait guère envie de le provoquer.

Une lourde massue à la main, Menna escorta l'enfant-lion jusqu'à la digue. Ce brave et habile combattant avait été récemment désigné pour veiller sur le sauveur de l'Empire. Prenant son rôle très au sérieux, Menna aurait préféré affronter cent crocodiles plutôt que de manquer à son devoir de protecteur. En outre, au fil des semaines tumultueuses qu'il venait de vivre en compagnie de Leonis et de Montu, une profonde complicité avait vu le jour entre ce soldat de dix-huit ans et ses jeunes camarades. Ils étaient maintenant comme des frères. Chacun d'eux aurait tout risqué pour venir en aide aux autres membres de leur vaillante petite équipe. Leurs cœurs battaient au rythme d'un unique et inébranlable but: la survie du royaume d'Égypte.

Quand Leonis eut atteint la digue, Menna s'en retourna auprès de Montu. Il abandonna sa massue et amarra la barque à un pieu visiblement prévu à cet effet. Lorsque les compagnons de l'enfant-lion le rejoignirent avec le coffre d'or, les crocodiles n'avaient pas bougé. L'objet fut délicatement déposé sur l'amas de petites pierres constituant la chaussée. À voix basse, Menna déclara:

— Comme vous le savez, avant de partir à la recherche du coffre, j'ai pris soin de lui ménager une cachette infaillible. Nous ne pouvons pas transporter cette chose jusqu'à Memphis. Nos ennemis sont partout. Lorsque nous arriverons au palais royal, j'indiquerai au grand prêtre Ankhhaef l'endroit où il pourra trouver le coffre. Il viendra le chercher avec une troupe de soldats. Ainsi, les trois joyaux pourront voyager sans inconvénient.

— Tu as eu raison de prendre cette précaution, Menna, approuva Leonis. Les adorateurs d'Apophis ne sont pas les seuls scélérats que nous devons craindre. La nuit, le pays fourmille de brigands à l'affût qui seraient plus que satisfaits de mettre la main sur un tel trésor. Je sais que nous n'emprunterons pas les routes, mais il vaut mieux rester prudents.

— Dans combien de temps serons-nous à Memphis ? interrogea Montu.

— Si tout va bien, nous entrerons dans la capitale avant l'aurore, répondit le soldat. Il faudra faire vite, mes amis. Hâtons-nous de dissimuler le coffre. Lorsque ce sera fait, je serai beaucoup plus tranquille. Cet objet est magnifique, bien sûr, mais j'ai de plus en plus l'impression que nous sommes exposés à quelque chose de trop grand pour nos humbles personnes.

— J'éprouve également ce malaise, Menna, soupira Leonis. Depuis que le coffre est entre nos mains, je me sens très nerveux. Nous avons transporté les trois joyaux comme s'il s'agissait d'une marchandise sans importance. Il aurait suffi que notre barque chavire pour compromettre nos espoirs de sauver le royaume…

Leonis s'interrompit. Un bruit étrange venait de se faire entendre à proximité des aventuriers. Il s'agissait d'une plainte étouffée, flûtée et un peu sinistre, comme un long miaulement de chat contrarié. Les traits de Menna se crispèrent. En saisissant le manche de son poignard, il bougea sa lampe pour tenter de découvrir la provenance de ce bruit. En pouffant, Montu rassura ses compagnons :

— Il n'y a aucun danger, les gars. C'est mon estomac qui vient de crier ainsi. Il en a assez du poisson et du pain sec comme le désert. Dès que nous arriverons à la maison, j'ai l'intention de m'offrir un délicieux repas.

Pour manifester son approbation, l'estomac de Montu s'exprima de nouveau dans une cascade de borborygmes sonores. En riant, Leonis lança :

— Demande à ton ventre de rester silencieux, Montu. Avec un tel vacarme, tu vas finir par nous faire repérer en alertant les adorateurs d'Apophis. Tu ne vas quand même pas mettre en péril l'avenir de l'Égypte pour une simple envie de gâteaux ?

Montu leva un regard navré sur l'enfant-lion. Sur un ton faussement malheureux, il conclut:

— Tu as prononcé le mot « gâteau », Leonis. Il est trop tard, maintenant. Mon ventre a des oreilles et il t'a entendu. Tant qu'il ne sera pas satisfait, je ne pourrai plus le faire taire.

2
DU CÔTÉ DE L'ENNEMI

À moins d'une journée de marche de la cité de Memphis s'élevait un gros rocher qui, à n'en pas douter, serait bientôt complètement enseveli par le sable du désert. Rares étaient les voyageurs qui s'aventuraient dans les environs. Il n'y avait pas d'oasis à proximité et aucune route ne passait par là. Sans la présence de cet îlot rocheux émergeant de la surface cuivrée, interminable et ondoyante des dunes, aucun obstacle ne serait venu perturber la monotonie de cette étendue aride. De prime abord, le rocher n'avait rien d'intéressant. Il s'agissait d'une masse pâle, dénudée et soumise depuis des millénaires aux tempêtes de sable et aux assauts implacables du soleil. Sa surface était criblée de cavités et de brèches qui, dès les premiers rayonnements du jour, se retrouvaient assaillies par des nuées criardes de chauves-souris. Ce gros bloc de pierre ne possédait donc rien qui eût pu inciter quelqu'un à l'explorer. On pouvait voir de loin les nombreuses grottes qui le trouaient. Cependant, même si cet endroit regorgeait de zones d'ombre, il demeurait très peu attrayant pour le voyageur expérimenté. Car, dans le désert, l'ombre est le plus sournois des pièges. Si elle donne envie aux hommes de s'y réfugier, il en va de même pour les hyènes, les serpents, les scolopendres et les scorpions.

Pourtant, si un observateur avait eu le courage et la patience de surveiller le rocher durant quelques heures, il aurait assurément pu remarquer l'animation qui régnait en ces lieux. Chaque jour, des dizaines d'individus entraient ou sortaient d'un passage se trouvant au pied de l'îlot de pierre. Dans des postes de veille situés à son sommet, des sentinelles scrutaient les dunes pour voir venir les indésirables. Une fois par mois, une vingtaine d'esclaves maigres, abattus et perclus d'effroi besognaient jusqu'au bout de leurs forces pour dessabler, à l'aide de récipients cylindriques, les abords de ce rocher qui, en dépit de son apparence insignifiante, dissimulait l'un des endroits les plus impressionnants du royaume d'Égypte. Il s'agissait de la tanière des adorateurs d'Apophis. Hyènes, serpents, scolopendres et scorpions n'étaient plus à craindre dans ce coin du désert. Les êtres qui les avaient remplacés étaient mille fois plus redoutables.

Parmi les nombreuses cavités qui perçaient la surface de l'imposant rocher, une seule menait jusqu'au repaire des ennemis de la lumière. Pour y arriver, il fallait emprunter un réseau compliqué de couloirs étroits. Le sol, en pente abrupte et continue, conduisait dans les profondeurs de la terre. En suivant ce dédale, on débouchait dans une immense salle dont l'aménagement défiait toute logique. À l'intérieur de cette gigantesque caverne, on avait érigé une cinquantaine de petites maisons cubiques. Ce village souterrain était continûment éclairé par des flambeaux. Surplombé par une haie de majestueuses statues miroitait un vaste bassin alimenté par une source limpide, fraîche et intarissable. Cet époustouflant ensemble était dominé par un prodigieux temple qui semblait faire corps avec la paroi rocheuse. Il s'agissait du Temple des Ténèbres, le lieu de culte des adorateurs du grand serpent Apophis. Ces derniers œuvraient dans l'ombre. Leur désir le plus cher était de voir l'empire d'Égypte s'éteindre dans le sang, la terreur et le chaos. Ils étaient des milliers disséminés dans tous les coins du royaume pour servir le mal avec ferveur. Pour le moment, peu de gens étaient au courant de leur existence. Mais leur puissance augmentait de jour en jour.

Cette sinistre armée occulte était dirigée par un homme ingénieux, tyrannique et impitoyable. Il s'appelait Baka. Il avait occupé le trône d'Égypte durant sept ans avant d'en être expulsé par son cousin Mykérinos. Le règne de Baka avait été bref, mais il avait représenté une période très sombre de l'histoire du royaume. Comme les autres tyrans qui l'avaient précédé, il avait interdit au peuple de fréquenter les temples. Après Khéops, Djedefrê et Khéphren, un autre pharaon venait empêcher les habitants de célébrer les sacrifices aux dieux. Baka avait fait pire encore en ordonnant à ses sujets de vouer un culte unique au grand serpent Apophis, ennemi de Rê et divinité des ténèbres. Heureusement, la colère du peuple était venue mettre un terme à la domination de ce roi indigne. Mykérinos était monté sur le trône et Baka avait été expulsé de l'Empire. Les effigies, statues et portraits qui représentaient cet ignoble souverain avaient été détruits. Rapidement, son nom cessa d'animer les discussions. Ce forcené n'était devenu qu'un mauvais souvenir et le bonheur renaissait enfin sous l'égide d'un pharaon juste et magnanime.

Toutefois, en laissant la vie sauve à son cousin, Mykérinos avait mal agi. Il avait provoqué la colère du dieu-soleil qui n'autorisait aucune clémence envers les ennemis de la lumière. Il avait également permis à Baka de constituer ses hordes maléfiques afin d'élaborer une terrible vengeance.

Cette nuit-là, le silence régnait dans la vaste caverne abritant le repaire des adorateurs d'Apophis. Incapable de fermer l'œil, le maître Baka avait quitté ses quartiers pour aller s'asseoir près du grand bassin qui brillait doucement sous la lumière des flambeaux. Il était anxieux. Ces derniers temps, ses troupes avaient connu de nombreux échecs. Quelques semaines auparavant, vingt-neuf de ses soldats étaient morts en tentant d'attaquer une barque qui transportait l'enfant-lion vers le delta du Nil. Ces adorateurs d'Apophis comptaient pourtant parmi l'élite des troupes. Celui qui les dirigeait, le commandant Neb, était un meneur d'hommes exceptionnel. De la rive, il avait assisté à la mort de ses vigoureux combattants. Après cette hécatombe, Neb avait courageusement gagné le Temple des Ténèbres pour y rencontrer son chef. À lui seul, ce geste prouvait la grande loyauté du commandant. Baka ne supportait pas la défaite. Ceux qui échouaient ne survivaient généralement pas à sa fureur.

Neb était donc venu rencontrer Baka en ayant la certitude de payer de sa vie le terrible revers qu'avaient connu ses guerriers. Il avait expliqué au maître que les pêcheurs du Nil avaient tendu une embuscade aux deux barques rapides qui fonçaient sur le bateau de Leonis. Les rameurs de Neb avaient dû effectuer une série de manœuvres désespérées pour empêcher leurs embarcations de percuter celles des pêcheurs. Ces derniers avaient vite encerclé les adorateurs d'Apophis. Aussitôt soumis à une pluie de flèches et de lances, aucun des ennemis de l'Empire n'avait survécu.

Au moment où Neb lui avait annoncé cette mauvaise nouvelle, le maître Baka avait d'abord été frappé de stupéfaction. En agissant ainsi, les pêcheurs avaient fait preuve d'une grande témérité. Comment ces fous avaient-ils pu oser se mesurer aux ennemis de la lumière ? Baka savait que les pêcheurs formaient une solide confrérie. Le grand fleuve était leur pays et, jusqu'à présent, malgré les nombreuses menaces qu'ils avaient proférées à l'endroit des hommes du Nil, les adorateurs d'Apophis n'avaient jamais pu s'attirer la coopération d'un seul d'entre eux. Bien entendu, cette situation irritait vivement Baka. Le fleuve représentait le cœur de l'empire égyptien. En le contrôlant, les ennemis de la lumière auraient pu porter atteinte à la majeure partie des activités du royaume. Mais, pour exercer son emprise sur le grand cours d'eau, il fallait avoir les pêcheurs pour alliés. Baka ne jouissait pas de ce privilège. Et maintenant, les pêcheurs venaient d'assassiner vingt-neuf adorateurs d'Apophis. Leurs actes ne pouvaient guère demeurer impunis. Le sang de ces inconscients devrait couler jusqu'à ce qu'ils daignent se rallier aux forces du Mal.

Contre toute attente, Baka n'avait pas déversé sa colère sur le pauvre Neb. Le dévoué commandant était un homme de qualité. Avant ce cuisant échec, chacune de ses missions avait été couronnée de succès. Personne n'aurait pu prévoir que les pêcheurs protégeraient l'enfant-lion. Ce Leonis, naguère aussi méprisable qu'un insecte, devenait de plus en plus nuisible. Chaque fois que les adorateurs d'Apophis avaient tenté quelque chose contre lui, leurs efforts s'étaient révélés vains. Où était-il, maintenant, ce ridicule sauveur de l'Empire ? Lui et ses compagnons avaient-ils retrouvé les premiers joyaux de la table solaire ? Baka n'en savait rien. Pour l'instant, une centaine de ses guerriers surveillaient les routes menant à Memphis. Les hommes de Baka devaient demeurer discrets pour ne pas attirer l'attention des patrouilles de Pharaon. Toutefois, la toile était tissée. Et Leonis aurait bien du mal à se faufiler entre ses mailles.

Baka en était à ces pensées lorsqu'il entendit un pas discret derrière lui. Il se retourna pour apercevoir Touia, l'une de ses épouses. Elle portait une robe noire, longue et vaporeuse. Touia était belle. Splendide, même. Mais son beau visage gardait inlassablement la froideur de la pierre. Son regard dédaigneux semblait mépriser chaque être et toute chose. Les mouvements gracieux et la démarche féline de cette femme dissimulaient une méchanceté sans borne. Elle était la favorite de Baka. Elle était aussi la seule de ses épouses autorisée à s'asseoir à la gauche de son trône. Pourtant, Touia et Baka n'échangeaient jamais le moindre regard amoureux. Ils s'admiraient l'un et l'autre parce qu'ils partageaient la même implacable cruauté. En s'approchant, Touia s'enquit :

— Quelque chose ne va pas, maître ? Il faut dormir, car vous devez partir pour Memphis au lever du jour. Qu'est-ce qui perturbe ainsi votre sommeil ? Ce misérable enfant-lion commencerait-il à vous inquiéter ?

La voix de la femme était profonde, sans tendresse et sinistre comme le grondement d'un fauve. Baka leva les yeux sur elle. Il eut un geste d'agacement avant de répliquer :

— Douterais-tu de ma valeur, Touia ? Qui es-tu pour me mépriser ainsi ? J'aurai Leonis. Si tu oses encore contester mon sang-froid, je…

— Allons, maître, l'interrompit-elle, sans fléchir. Je ne douterai jamais de vous et vous le savez bien. Je commence cependant à m'interroger sur les compétences de nos troupes.

— Ce ne sont pas « nos » troupes, Touia. Ce sont « mes » troupes. Je crois que je t'accorde un peu trop d'importance, ma lionne. Il ne suffit pas d'être admise dans la salle du trône pour devenir la reine des adorateurs d'Apophis. Je suis le seul maître ici. Tâche de ne pas l'oublier.

Touia retira l'une de ses sandales et trempa son pied nu dans l'eau froide du bassin. Les ongles de ses orteils délicats étaient peints en rouge. Ses lèvres dessinaient un sourire indéfinissable qui ne parvenait guère à éclairer sa figure impassible. Baka continua :

— Après-demain, je rencontrerai le jeune Hapsout. Il se trouve non loin de Memphis et, comme tu le sais, il a retrouvé la petite sœur de Leonis. Il a mis la main sur cette fillette avant les hommes de Mykérinos qui étaient eux aussi à sa recherche. Pour cet exploit, Hapsout mérite toute ma reconnaissance.

Nous possédons maintenant un appât inespéré pour attirer le sauveur de l'Empire. Tu méprises mes troupes, Touia. Tu devrais pourtant savoir qu'un empire ne se détruit pas comme une vulgaire ruche. L'enfant-lion est bien entouré, mais j'ai confiance en mes hommes. J'aurai la tête de Leonis avant qu'il livre l'offrande suprême au dieu-soleil. Nous avons sa sœur et, en l'apprenant, il deviendra plus vulnérable qu'un oisillon.

— Que comptez-vous faire de cette petite pouilleuse ?

— Elle est la pièce maîtresse de mon jeu, ma lionne. Elle gardera la vie tant et aussi longtemps que Leonis n'aura pas perdu la sienne. Ce délicieux moment arrivera bientôt. J'en suis certain. J'entends déjà la clameur qui fera vibrer le Temple des Ténèbres lorsque j'exhiberai, devant les yeux de mes adeptes en liesse, la tête ensanglantée de l'enfant-lion.

3
SUR LE CHEMIN DE LA CITÉ

Leonis et ses amis se trouvaient à l'orée d'une palmeraie. Le coffre contenant les trois premiers joyaux était maintenant à l'abri. Quelques instants plus tôt, les adolescents avaient vu Menna s'agenouiller sur le sol pour déplacer un tas de débris qui masquait une rangée serrée d'étroites planches de cèdre. Le jeune homme avait retiré ces morceaux de bois afin de dévoiler un trou fraîchement creusé dans le sol humide. Après avoir déposé le coffre dans cette cavité, Menna avait replacé les planches et les avait recouvertes d'une couche de terre. Il avait vite achevé sa besogne en disposant des feuilles, des branches et des cailloux sur la cache. Le coffre était dissimulé à la base d'un palmier. Avec la lame de son poignard, le combattant avait pratiqué quatre entailles légères dans le tronc de l'arbre. Cette série de stries servirait de repère à ceux qui viendraient chercher l'inestimable objet. Afin de ne pas attirer l'attention, le jeune homme avait éteint sa lampe. Cependant, grâce aux rayons généreux que diffusait le disque lunaire, le soldat avait pu accomplir sa tâche sans trop tâtonner.

Leurs arcs à la main et leurs carquois en bandoulière, Leonis et Montu accordèrent leurs pas à ceux de Menna. Ils se dirigèrent vers une rangée de silos à céréales. Les masses trapues, arrondies et pâles de ces bâtiments contrastaient avec la toile charbonneuse du ciel nocturne.

— La maison de mon père est située derrière ces silos, annonça Menna. La route est à proximité, mais, comme prévu, nous éviterons de nous y engager.

— Ton père sait-il que tu as la mission de me protéger, Menna ? interrogea Leonis.

— Je lui ai dit que j'avais changé d'affectation. Je ne lui ai rien raconté à ton propos. Mon père sait garder un secret, mais la quête du sauveur de l'Empire ne le concerne pas. Depuis qu'on m'a confié la tâche de veiller sur toi, je dois redoubler de prudence. Maintenant, je ne rends presque plus visite à mes parents. Lorsque je dois le faire, je m'assure chaque fois que personne ne me suit. S'il fallait que les adorateurs d'Apophis sachent où habitent les miens, j'ose à peine imaginer ce qui pourrait se produire. Ces scélérats ne reculent devant rien.

— Je suis désolé, mon ami, soupira l'enfant-lion. Ton devoir de protecteur te demande beaucoup de sacrifices.

— Ne t'inquiète pas, Leonis, murmura le jeune homme en touchant l'épaule du garçon. Je suis très fier de marcher à tes côtés. En menant à bien la quête des douze joyaux, nous sauverons le peuple d'Égypte. Mes parents font partie de ce peuple. Les sacrifices que je fais aujourd'hui me permettront de chérir les miens encore longtemps. Dans quelques années, j'épouserai une femme que je chérirai. Je veux présenter cette femme à ma mère et à mon père. Je veux voir le bonheur briller dans leurs yeux lorsqu'ils tiendront mes enfants dans leurs bras. Si le grand cataclysme a lieu, rien de cela ne sera possible.

— J'espère de tout cœur que nous réussirons, fit Leonis. Je t'envie un peu, tu sais ? Même si tu visites rarement tes parents, tu as la chance de les embrasser de temps à autre. Mon père et ma mère ont perdu la vie en naviguant sur le grand fleuve. Le cataclysme ne changerait donc rien pour eux. Quant à moi, j'irais simplement les rejoindre dans le royaume des Morts. Puisque la colère de Rê anéantirait tous les êtres, je pourrais aussi retrouver ma sœur Tati dans l'Autre Monde. Tati est ma seule famille. Comme vous le savez, je suis séparé d'elle depuis plus de cinq années. Lors de ma quête du talisman des pharaons, l'occasion de la revoir et de la délivrer de l'esclavage m'a été offerte. Si j'avais profité de cette chance, je n'aurais pas pu rapporter le talisman. Par la suite, il n'y aurait eu aucun moyen d'empêcher la fin des fins. Si, à cet instant, j'avais décidé de libérer ma sœur, je l'aurais condamnée par la même occasion…

En ouvrant les bras, l'enfant-lion respira profondément. La fraîcheur nocturne intensifiait les parfums de la vallée. Leonis ébaucha un sourire avant d'ajouter:

— Je veux retrouver Tati en ce monde, mes amis. Parce que je me suis promis de le faire et parce qu'il est beau, ce monde. C'est sous ce ciel que je veux entendre le rire de ma petite sœur lorsque je la serrerai très fort contre moi. Le royaume des Morts peut encore attendre. Qui sait? Les hommes de Pharaon ont peut-être déjà retrouvé Tati? Peut-être qu'elle m'attend à la maison? Ce serait tellement extraordinaire!

Il y eut un silence chargé d'émotion. Ce fut Montu qui le rompit. Dans la pénombre, Leonis et Menna ne virent pas les larmes qui lui brouillaient les yeux. Il réprima difficilement un sanglot et déclara :

— Moi, j'ai été vendu comme esclave par mes parents… Vous auriez dû voir le sourire de mon père cet après-midi-là. D'un seul coup, il était libéré de ses dettes et il avait une bouche de moins à nourrir. Ma mère ne pleurait pas. Elle s'est même prosternée devant le noble seigneur qui venait d'accepter le marché que mon père lui avait proposé…

Montu se racla la gorge avant de poursuivre :

— Je souhaite, moi aussi, que l'Empire soit sauvé. Je le souhaite parce que j'ai retrouvé ma liberté. Sur le chantier du palais d'Esa, je besognais sans répit et jusqu'au bout de mes forces. Le contremaître Hapsout tourmentait sans cesse les esclaves et chaque journée était pénible. Le chantier était un endroit cruel et sans joie. Heureusement que tu étais là, Leonis. Ton amitié m'a souvent aidé à traverser ces durs moments. Malgré tout, en ce temps-là, j'ai fréquemment souhaité que le monde disparaisse. Maintenant, tout est si différent… C'est vrai que le monde est beau, Leonis ! Pour la première fois de ma vie, j'ai l'impression d'être utile à quelque chose. Je sais maintenant que le bonheur existe et je savoure chaque minute de mon existence. Dans mon cœur, la famille que j'avais n'existe plus. Mes parents sont toujours vivants, mais je m'en moque. Ils m'ont échangé comme un sac d'orge. Vous êtes ma seule vraie famille, les gars. Je n'hésiterais pas à manger un scorpion vivant en commençant par le dard si ça pouvait préserver la vie de l'un d'entre vous.

— Nous avons traversé ensemble une longue et dure période, Montu, approuva l'enfant-lion. Sur le chantier, nous étions souvent humiliés. Les esclaves n'étaient rien et ne devaient rien posséder. Pourtant, nous étions riches, toi et moi. L'amitié qui nous lie vaut tout l'or de l'Empire. Même en nous séparant, personne ne pourrait nous en déposséder. Un homme n'est jamais pauvre lorsqu'il possède un véritable ami. Ce trésor est enfoui dans son cœur et, à mon avis, il subsiste au-delà de la mort. Mes parents sont dans l'Autre Monde. Pourtant, je les aime toujours. Si tu mourais, tu serais toujours mon ami. Tu n'as pas besoin de me dire que tu serais prêt à sacrifier ta vie pour moi. Je le sais, Montu. Je le sais parce que je n'hésiterais pas à faire de même pour toi et pour Menna.

— Ce serait de la folie, Leonis, s'opposa Menna. Tu es l'enfant-lion. Quoi que tu en dises, ton existence est beaucoup plus importante que la nôtre. Ma mission est de te protéger. J'apprécie ton amitié, mais je ne pourrais exister en paix en sachant que tu as donné ta vie pour moi. Si jamais je me retrouve seul dans une situation désespérée, je veux que tu me promettes de ne pas t'exposer au danger en te portant à mon secours.

— Je ne peux rien promettre de tel, Menna, répondit Leonis. Je suis l'enfant-lion et il est vrai que j'étais le seul être à pouvoir rapporter le talisman des pharaons. Mais, maintenant que l'accès à la table solaire est révélé, je crois bien que la tâche de retrouver les douze joyaux pourrait être accomplie sans moi. J'ai le sentiment que, s'il m'arrivait quelque chose, toi et Montu continueriez la quête sans baisser les bras. Dans cette histoire, il n'y a pas qu'un seul et unique sauveur de l'Empire. Vous l'êtes autant que je le suis, mes amis.

— Je crois que tu as tort, Leonis, persista le jeune soldat. L'oracle a annoncé que l'enfant-lion serait le sauveur de l'Empire. Les signes n'ont prédit qu'un seul élu. J'ignore tout de l'avenir. Toutefois, j'ai la certitude que, si tu quittais ce monde pour celui d'Osiris, l'offrande suprême ne pourrait jamais être livrée à Rê. Nous savons désormais, Montu et moi, que tu possèdes certains pouvoirs. Nous avons vu le lion blanc et nous avons deviné qu'il s'agissait de toi. Seule une divinité peut accomplir un tel prodige. Tu as été choisi par le dieu-soleil, Leonis. Que tu le veuilles ou non, c'est uniquement entre tes mains que réside le salut des hommes.

Leonis laissa planer un bref silence avant de soupirer :

— Je ne suis pas une divinité. D'ailleurs, je ne possède plus la capacité de me transformer en lion. Cette faculté m'avait été accordée par la déesse Bastet. J'ai rencontré la déesse-chat durant ma quête du talisman des pharaons. En m'offrant la possibilité de me changer en lion blanc, elle m'a informé que personne ne devait connaître ce pouvoir. Sans le vouloir, je vous ai dévoilé mon secret. Le lion blanc ne reviendra probablement plus, mes amis. J'ai essayé de me transformer plusieurs fois depuis notre départ du Marais des démons, mais Bastet n'entend plus mon appel.

Les yeux de l'enfant-lion s'égarèrent un moment dans le ciel étoilé. Il aurait aimé rencontrer de nouveau la déesse-chat. Ainsi, il aurait pu lui expliquer que, si ses compagnons avaient deviné qu'il pouvait se transformer en lion, ce n'était certainement pas parce qu'il s'en était vanté. C'est en remarquant le talisman des pharaons suspendu au cou de la bête que Montu et Menna avaient pu faire le lien entre le lion blanc et Leonis. Ce dernier aurait dû retirer le pendentif pour ne pas éveiller les soupçons. Cependant, au moment de sa dernière métamorphose, il venait de se cogner violemment la tête. Ses idées n'étaient pas très claires et, de peur de ne pas pouvoir le retrouver dans l'étendue inextricable des marais, il avait décidé de garder le talisman. De toute manière, comment aurait-il pu dissimuler son pouvoir plus longtemps ? Montu et Menna n'étaient pas stupides. Jusqu'à présent, le puissant félin ne s'était montré qu'à deux reprises. À chacune de ces occasions, la situation semblait sans espoir. On eût dit que la bête suivait le trio et qu'elle était constamment prête à intervenir en cas de danger. Puisque Leonis n'était jamais présent lorsque le lion apparaissait, il ne fallait pas réfléchir longuement pour comprendre que l'adolescent et l'animal n'étaient en fait qu'un seul et même être. Le sauveur de l'Empire et ses compagnons passaient trop de temps ensemble pour que de semblables détails passent inaperçus. La règle émise par la déesse-chat avait bel et bien été enfreinte. Toutefois, cette faute avait été involontaire. Leonis aurait vraiment aimé revoir Bastet. De prime abord, il n'avait pas été inquiété par la perte de son pouvoir. Mais, par la suite, tandis que la barque quittait les marais pour l'emporter vers Memphis, il avait songé que, sans les miraculeuses interventions du lion blanc dans cette périlleuse recherche des douze joyaux, lui et ses amis auraient probablement connu, depuis un bon moment déjà, la plus effroyable des fins.

Le petit groupe contourna les silos et traversa un pâturage pour atteindre la maison du père de Menna. Silencieusement, le soldat alla disposer quelques cailloux devant la porte de la demeure. Sans s'attarder davantage, les trois compagnons s'engagèrent sur la terre meuble d'un champ d'épeautre aux pousses naissantes. Ils foulèrent le sol ferme d'une chaussée et entamèrent leur marche vers la capitale. Dans la clarté du jour, les terres agricoles de la vallée du Nil, rayées de digues et de fossés d'irrigation, semblaient recouvertes d'un gigantesque filet. Chaque digue était entretenue avec soin et on pouvait se déplacer sans difficulté au milieu des cultures. Il était toutefois malaisé d'arpenter ces méandres lorsque tombait la nuit. Les chemins surélevés qui permettaient de sillonner les champs représentaient un véritable labyrinthe. La digue sur laquelle s'étaient engagés nos trois héros ne leur permit pas de franchir une très longue distance en ligne droite. Lorsqu'ils atteignirent son extrémité, ils durent rebrousser chemin pour emprunter un embranchement relié à une autre voie. D'un pas lent, Menna guidait les autres à travers les ténèbres. Leonis, en s'aidant d'un bâton pour épargner sa cheville blessée, fermait la marche. À leur gauche, de l'autre côté de la route conduisant à Memphis, ils pouvaient encore apercevoir les miroitements du grand fleuve dans les intervalles qui, de loin en loin, entrecoupaient la frange irrégulière des arbres.

En dépit de la lenteur de leur progression, Leonis, Montu et Menna atteignirent la cité avant l'aurore. Ils n'avaient croisé personne, mais du côté de la route, ils avaient observé les lueurs de quelques feux de camp. Grâce au silence nocturne, ils avaient également pu percevoir des éclats de voix indistinctes dans la campagne environnante. Ces échos de conversation auraient bien pu émaner d'un groupe de soldats en patrouille. Malgré le fait qu'ils eussent été heureux de pouvoir compter sur une escorte de combattants pour gagner le palais royal, les trois aventuriers avaient jugé plus prudent de passer leur chemin. Ils avaient la conviction que les adorateurs d'Apophis n'étaient pas très loin. Et, bien entendu, ils ne se trompaient pas.

4
LE GUÊPIER

Accroupis derrière un bosquet, l'enfant-lion et ses amis observaient le portail nord de Memphis. Dans la faible lueur qui éclairait le poste de garde, deux jeunes vigiles discutaient à voix basse. Selon Menna, il eût mieux valu éviter de passer par l'un des accès principaux de la ville. Car, pour les ennemis de la lumière, il n'y avait guère d'endroit plus commode à surveiller. En effet, si on voulait pénétrer dans la capitale, on devait normalement le faire en empruntant ses entrées. Les adorateurs d'Apophis n'avaient qu'à se poster à proximité de celles-ci pour avoir l'œil sur chaque individu qui les franchissait. Tout comme Menna, les gardes du portail nord étaient des soldats de l'Empire. Ces jeunes combattants étaient armés de javelots et d'arcs dont ils savaient assurément se servir. Toutefois, ils n'étaient que deux. Si les hommes de Baka reconnaissaient l'enfant-lion et décidaient de prendre le portail d'assaut, la paire de gardiens serait sans doute rapidement éliminée. Afin de ne pas s'exposer au danger, il eût été préférable que Leonis et ses compagnons s'insinuassent dans la cité en escaladant une section isolée de la haute enceinte qui l'entourait. Malheureusement, en se livrant à ce genre d'exercice, l'enfant-lion aurait risqué d'aggraver sa blessure à la cheville.

Tapis dans l'ombre, Leonis, Montu et Menna réfléchissaient. Il leur fallait trouver une façon de pénétrer dans la capitale en trompant la vigilance des probables sentinelles de l'ennemi. Les yeux plissés, ils observaient les lieux depuis dix longues minutes. Ils s'efforçaient de déceler la présence des adorateurs d'Apophis dans la zone obscure qui entourait le portail nord.

— Tout semble normal, murmura Leonis.

— Il ne faut pas se fier aux apparences, répondit Menna. Les hommes de Baka savent que nous avons quitté Memphis. Certes, ils ne peuvent connaître le moment exact de notre retour. Seulement, j'ai la conviction qu'ils nous attendent. Il faudrait que Baka soit un chef tout à fait imprévoyant pour ne pas avoir songé à faire surveiller les entrées de la ville.

— Nous devrions tout de même escalader le mur d'enceinte, proposa l'enfant-lion. Malgré ma blessure, je sais que je pourrais y arriver.

— Je ne doute pas de tes capacités, Leonis, fit le soldat. Mais, ce qui importe, c'est de ne pas aggraver l'état de ta cheville. Dans une semaine, ton entorse sera guérie. Il serait fâcheux d'interrompre la quête des douze joyaux pendant des mois en raison d'une imprudence. De plus, nos ennemis ne doivent pas se contenter de surveiller les portails. Il y en a sans doute quelques-uns qui guettent les rues menant au palais royal. Le risque que nous courons d'être repérés par ces scélérats est grand. Comment pourrions-nous fuir si tu te blessais davantage en sautant du haut du mur?

— C'est embêtant, fit Montu en exhalant un soupir d'impatience. Nous ne sommes qu'à deux pas du palais et il est hors d'atteinte!

— J'ai une idée, glissa Menna. Vous allez rester ici. Quoi qu'il arrive, je vous demande de ne pas bouger. Si tout va bien, nous serons bientôt chez nous.

— Que comptes-tu faire, Menna? questionna Leonis.

— Je vais simplement tenter de faire sortir les guêpes en donnant un coup de pied sur leur nid.

Après avoir prononcé ces paroles énigmatiques, le jeune soldat, sans faire de bruit, fondit dans les ténèbres.

Leonis et Montu durent patienter un long moment avant de revoir leur compagnon. Sur le chemin qui longeait l'enceinte de la ville, un bruit de pas pressés se fit entendre. Les sentinelles du portail saisirent leurs lances et scrutèrent la nuit pour tenter de voir qui s'approchait. À l'ouest, la silhouette de Menna se détacha de la pénombre. Il courait d'un pas fourbu, comme s'il venait de parcourir une très longue distance. Son corps luisait de sueur et son souffle était court. Les gardes du portail nord pointèrent leurs javelots en direction du nouveau venu. Menna franchit encore quelques coudées et acheva sa course devant les jeunes sentinelles. Le protecteur de Leonis, vraisemblablement à bout de force, s'écroula devant le poste de garde. Les deux soldats échangèrent un regard décontenancé. Ils abaissèrent leurs armes et, immobiles, se contentèrent d'observer Menna qui, étendu sur le sol, peinait pour recouvrer son souffle. Après une longue période d'hésitation, l'un des gardiens du portail demanda :

— Qui es-tu ? Que crains-tu pour courir ainsi ?

— Il… Il… faut… aller… aller chercher… les soldats de Pha… de Pharaon, parvint à dire Menna. Il faut… faire… vite.

— Les soldats de Pharaon! répéta la deuxième sentinelle. On ne dérange pas les hommes de la garde royale pour rien! Explique-nous ce qui t'arrive et nous verrons ce que nous pourrons faire, mon gaillard!

— Vous ne com… comprenez pas! cria Menna en se relevant péniblement. L'enfant-lion est non loin d'ici! Il est blessé et il a besoin de soins!

Le garde qui venait de s'adresser à Menna le toisa longuement d'un air perplexe. Avec un vague sourire, il questionna:

— Qu'est-ce que tu racontes, mon vieux? Qui est cet enfant-lion?

En entendant les mots de Menna, l'autre gardien avait sursauté. Dans une série de gestes rapides, il avait saisi un arc posé à ses pieds. Sa flèche était maintenant pointée sur la poitrine du protecteur de Leonis.

— Que fais-tu, Outa? murmura son confrère, abasourdi.

— Sois tranquille, Sankh, répliqua le dénommé Outa. Reste à l'écart de tout cela, camarade. Je te le conseille fortement!

Sankh resta bouche bée. Outa adressa à Menna un sourire de carnassier. Contenant avec peine sa fébrilité, il demanda:

— Puisque tu sais à quel endroit se trouve Leonis, j'imagine que tu pourrais m'y conduire, pauvre imbécile.

Durant un court instant, Menna demeura interdit. De toute évidence, il n'avait pas prévu une telle réaction de la part du gardien. En désignant l'enfant-lion d'une voix bien perceptible, il avait voulu être entendu par les probables guetteurs de Baka. Toutefois, l'ennemi était plus près qu'il ne l'avait songé. Le jeune gardien du portail avait prononcé le nom de Leonis. Outa avait donc déjà entendu parler du sauveur de l'Empire. À cet instant, il menaçait Menna d'une flèche. Un rictus de haine déformait sa figure tandis qu'une lueur de triomphe dansait dans ses prunelles. En dépit de la surprise qu'il éprouvait, Menna parvint à émettre un léger rire avant d'affirmer :

— Tu es donc l'un de ces sordides adorateurs d'Apophis, Outa ? N'as-tu pas honte de ce double rôle, soldat ? Comment se sent-on dans la peau d'un traître ?

Le renégat se contenta de bomber le torse. Sankh s'écria :

— J'aimerais vraiment qu'on m'explique ce qui se passe ici ! De quoi parlez-vous, par Hathor ? Outa, je…

Sankh n'acheva pas sa phrase. Outa l'interrompit en lançant vers le ciel un appel puissant et funeste : une parfaite imitation du ricanement de la hyène. Menna reconnut aussitôt le cri de ralliement des adorateurs d'Apophis. Bientôt, d'autres appels semblables répliquèrent à celui de la perfide sentinelle. Les premières réponses provinrent de l'intérieur de la cité. D'autres se firent entendre de chaque côté de la route. Comme l'avait imaginé Menna, le portail nord était surveillé par les ennemis de la lumière. Il en allait probablement de même pour chacune des entrées de la capitale. Sans perdre son sang froid, le protecteur de Leonis y alla d'un avertissement à l'endroit du pauvre et loyal Sankh qui, visiblement, ne comprenait rien à la situation :

— Tu dois partir, Sankh ! Ta vie est en danger !

— Tu n'iras nulle part, Sankh ! cracha Outa. Quant à toi, mon gaillard, tu n'es pas en position de demander quoi que ce soit !

Outa s'énervait. Sa flèche pointa le vide un court moment. D'un mouvement prompt, Menna en profita pour s'en écarter davantage. Son pied droit, lancé avec force, percuta le coude de l'archer. La flèche fut décochée et alla se perdre dans la nature. Outa n'eut guère le temps de réagir. Le compagnon du sauveur de l'Empire lui asséna un violent coup de poing sur le nez. Le jeune garde était déjà sans connaissance lorsqu'il toucha le sol. Menna jeta un coup d'œil à la ronde. À l'ouest, sur la route, il put déceler de nombreuses silhouettes. Il prit son arc et lança de nouveau à Sankh :

— Il faut fuir, soldat !

— Que se passe-t-il ? murmura l'autre, éberlué.

Malgré les ténèbres, Menna aperçut trois ennemis s'amenant de l'intérieur de la cité. Ils brandissaient des javelots et se dirigeaient vers le portail. Avec une rapidité extraordinaire, l'habile combattant saisit son arc, puisa dans son carquois et lâcha une première flèche. Le jet faucha un adversaire. Le redoutable archer tira une nouvelle fois et un second adorateur d'Apophis mordit la poussière. La troisième canaille était encore à bonne distance lorsqu'elle tomba à son tour. Il y eut un bruit sec et un couinement à la gauche de Menna. Ce dernier porta son attention sur Sankh. Le pauvre garde roulait des yeux horrifiés. Ses mains battaient l'air pour tenter de saisir la flèche qui s'était fichée entre ses omoplates. Menna lui accorda un bref regard chargé d'affliction. Une flèche percuta le mur d'enceinte. Quelques autres traits ratèrent Menna qui pénétra dans Memphis. Aussitôt, il remarqua la vingtaine d'individus qui couraient dans sa direction. Ceux de la ville venaient à la rencontre de leurs comparses de l'extérieur. Ils virent Menna, mais ils ne comprirent pas tout de suite qu'il était un adversaire. Le jeune homme n'eut pas la moindre hésitation. Il détala vers un amas de constructions qui s'élevaient à sa droite et se coula dans l'ombre dense d'une venelle.

De leur poste d'observation, Leonis et Montu, impuissants, n'avaient rien perdu de cette inquiétante scène. Avec horreur, ils avaient été témoins de la mort du jeune gardien. Menna venait tout juste de s'introduire dans Memphis lorsqu'une première meute d'adorateurs d'Apophis atteignit le portail nord. Ce groupe fut vite rejoint par celui qui venait de l'est. Quelques ennemis de la lumière pénétrèrent dans la ville. Ils revinrent rapidement sur leurs pas, accompagnés par une vingtaine d'hommes qui, à n'en pas douter, faisaient également partie des lugubres hordes de Baka. L'un des combattants de l'extérieur, qui devait représenter l'autorité, demanda:

— Que faites-vous ici, par Seth? N'avez-vous pas vu un homme entrer dans la cité?

— Nous avons aperçu une silhouette, commandant. Elle s'est glissée entre deux bâtiments. Trois de nos hommes sont morts près du portail. Nous...

— Qu'attendez-vous pour vous lancer à sa poursuite, idiots ! En voyant les corps de vos camarades, vous auriez dû comprendre que celui qui s'est enfui était l'un de nos ennemis !

— Nous… nous ne savions pas, commandant…

— Eh bien ! Maintenant, vous savez ! coupa le supérieur. J'ignore qui est cet homme, mais Outa n'a certainement pas lancé l'appel pour rien ! Allez ! L'aube se lève ! Tâchez de me retrouver ce type avant que Rê n'enflamme le ciel !

La troupe qui avait jailli de l'enceinte réintégra la cité. Le commandant ordonna à quelques-uns de ses hommes d'aller chercher les cadavres à l'intérieur. Ensuite, il se pencha pour gifler Outa qui était toujours inconscient. Le jeune homme ouvrit les yeux et leva un regard interloqué sur son supérieur. Celui-ci l'interrogea aussitôt :

— Pour quelle raison as-tu lancé l'appel ?

— L'appel ? questionna Outa, qui avait du mal à reprendre ses sens. Il porta la main à son nez et fut sidéré de constater que ses doigts étaient maculés de sang.

Le commandant s'impatienta. Une autre gifle claqua sur la joue du jeune homme. D'un coup, le regard d'Outa s'illumina d'un mélange de crainte et de compréhension. Il s'assit et cracha un jet rougeâtre sur le sol avant d'expliquer d'une voix nasillarde :

— Un type est arrivé en courant devant le portail. Je ne sais pas depuis combien de temps il courait, mais il avait l'air exténué. Il nous a demandé d'aller chercher les soldats de la garde royale. Il a dit que l'enfant-lion n'était pas loin d'ici et qu'il était blessé...

Les yeux d'Outa s'arrondirent. Il venait d'apercevoir le cadavre de Sankh. Le commandant lui asséna une autre gifle et jeta entre ses dents :

— Parle, jeune imbécile ! Est-ce que ce type t'a dit où se trouvait l'enfant-lion ?

— Je... Non... Il ne m'a rien dit, balbutia Outa. Je... je l'ai tenu en respect avec mon arme et j'ai lancé l'appel...

Le rire tonitruant du commandant éclata. Il se leva et fit quelques pas autour du jeune garde. Sur un ton amusé, le chef déclara, en s'adressant à la quinzaine d'hommes qui assistaient à l'interrogatoire :

— Vous entendez, les gars ? Il l'a tenu en respect.

Il y eut quelques rires dans la troupe des adorateurs d'Apophis. Le supérieur sembla apprécier l'effet que ses paroles avaient produit. Puis, spontanément, son sourire s'effaça. Avec hargne, il asséna un coup de pied dans les côtes du misérable Outa. Le jeune gardien du portail poussa une longue plainte. Il se tordit de douleur en martelant le sable de son poing. Son bourreau l'observa avec dédain. Froidement, il dit :

— Te rends-tu compte de ton erreur, Outa ? Cet homme pouvait nous livrer Leonis et tu l'as laissé nous échapper. Il suffisait de lui faire croire que tu allais chercher les soldats de Mykérinos. Tu serais alors entré dans Memphis et tu aurais discrètement averti nos hommes de la présence de ce type. Nous étions plus de trente aux environs du portail. Nous aurions pu capturer ce gaillard et le torturer jusqu'à ce qu'il accepte de nous mener à l'enfant-lion. Au lieu de cela, stupide vermisseau, tu as pensé que tu étais assez habile pour le tenir en respect.

— J'ai… j'ai lancé l'appel, gémit le malheureux.

— Tu as manqué de jugement, Outa. Il y avait moyen de cueillir cet individu sans lancer le cri de la hyène. Qu'as-tu pensé ? Tu voulais démontrer ta grande habileté en faisant de cet homme ton prisonnier ? Tu voulais que le maître Baka te reçoive personnellement pour te féliciter de ta bravoure ? Nous nous tenions à bonne distance de l'entrée de Memphis parce que nous comptions sur ton intelligence. En surveillant de loin ce poste de garde, nous risquions moins d'attirer l'attention. Nous pouvions agir ainsi parce que tu étais là. Nous étions plus que satisfaits lorsque nous avons appris que l'un de nos hommes serait affecté à la surveillance du portail nord. Nous ne pouvions espérer mieux comme position stratégique…

Le supérieur s'accroupit pour ramasser un javelot qui traînait sur le sol. Cette lance appartenait à Outa. Le commandant examina la pointe de l'arme en la faisant tourner lentement devant sa figure. Avec un sourire de dément, il continua:

— Mais ce soir, tu as été démasqué, Outa. Le mystérieux émissaire de l'enfant-lion nous a glissé entre les mains et trois de nos combattants sont morts. De plus, j'imagine que, désormais, toutes les entrées de cette ville seront scrupuleusement surveillées par les patrouilles du pharaon. En un instant, tu nous as causé bien des ennuis, jeune homme. C'est impardonnable.

Le visage du commandant se crispa et les yeux d'Outa s'arrondirent de terreur. Quand la lance s'abattit, Leonis et Montu détournèrent le regard. Ils ne virent rien de la scène atroce qui se déroulait devant le portail nord. Ils n'en virent rien, mais ils entendirent le terrible hurlement du jeune garde. Le malheureux était déjà mort lorsque les derniers échos de son ultime cri s'estompèrent dans l'aube naissante.

5
AMERTUME

— Nous aurions dû intervenir, siffla Leonis entre ses dents.

— Nous n'aurions rien pu faire, mon ami, répondit Montu. Ils étaient trop nombreux. Si nous avions utilisé nos arcs, les adorateurs d'Apophis nous auraient vite débusqués.

— Menna aurait dû m'écouter. Il aurait été préférable d'escalader le mur d'enceinte. Une vulgaire entorse à la cheville n'est rien en comparaison des vies qui viennent de s'achever.

— Ces gens étaient nos ennemis, Leonis.

— Sankh n'était pas l'un d'eux, Montu. Sankh ne savait rien des ennemis de la lumière et il ne savait rien de moi. Il est mort sans savoir… Il est mort pour rien.

Leonis avait jeté ces paroles à voix basse, mais la colère qu'il éprouvait s'était manifestée dans le ton avec lequel il les avait proférées. Montu observa un moment son ami. Il demeura muet. Jamais il n'avait vu semblable agressivité dans les yeux verts de Leonis. Le sauveur de l'Empire ajouta:

— J'en ai assez de cette violence. Il faut que ça cesse.

Montu reporta son regard sur le portail nord. Sans considération pour les cadavres d'Outa et de Sankh, les adorateurs d'Apophis étaient partis en emportant les corps des leurs. Les dépouilles des deux jeunes gardes gisaient devant l'entrée de la ville. À l'est, le soleil enjambait maintenant la cime des falaises. Un chien aboya dans l'enceinte de Memphis. Dans peu de temps, les habitants de la cité quitteraient leurs demeures pour vaquer à leurs occupations quotidiennes. Montu songeait à Menna. Il espérait que le jeune combattant avait réussi à s'en tirer. Le protecteur de Leonis n'avait certainement pas voulu que les choses se passent ainsi. Il avait donné un coup de pied dans le nid de guêpes et, comme prévu, les guêpes s'étaient montrées. Comment aurait-il pu deviner que l'un des gardiens de portail était à la solde de Baka? Montu se disait néanmoins que Menna aurait pu trouver un autre moyen d'entrer dans la capitale. Il avait certainement commis une erreur en se présentant au portail de la sorte. Dans cette dernière mésaventure, des hommes avaient rejoint le royaume des Morts. Ces individus venaient s'ajouter au bilan déjà lourd de ceux qui avaient perdu la vie depuis le début de la quête des douze joyaux. Jusqu'à ce jour, la mort n'avait frappé que du côté des forces du mal. Maintenant, un innocent venait de périr. Montu comprenait l'exaspération de Leonis. Mais ce qu'il avait vu dans les yeux de son ami lui déplaisait. L'enfant-lion en voulait à Menna. Il lui en voulait au point de ne plus s'inquiéter de savoir si le jeune soldat avait pu échapper à ses poursuivants. Le garçon reporta son attention sur Leonis. Il fut désolé de constater que le ressentiment n'avait pas quitté les traits de son ami. D'une voix hésitante, il glissa :

— J'espère que Menna est vivant.

— J'en ai la certitude, Montu, répliqua Leonis avec froideur. Menna est un combattant très habile. Il a certainement pu échapper aux adorateurs d'Apophis. Dans la confusion provoquée par l'appel d'Outa, les hommes de Baka se sont précipités vers le portail. Ils ont aperçu Menna, mais le temps qu'ils réalisent qu'ils devaient se lancer à sa poursuite, notre bon soldat était sans doute déjà loin.

— Notre bon soldat ? s'étonna Montu. Tu... tu dis cela comme si tu n'éprouvais aucune inquiétude, Leonis. Comment peux-tu être aussi insensible ? Je ne...

— Tu ne me reconnais plus, compléta l'enfant-lion. C'est ce que tu allais dire, n'est-ce pas, mon vieux? Tu ne me reconnais plus, mais sache que ce n'est pas trop grave. Rien ne sera plus grave, dorénavant. En assistant à ce nouveau carnage, j'ai compris quelque chose. J'ai compris qu'il fallait que je devienne comme Menna. Menna ne perd jamais son sang-froid. Il a été entraîné pour cela. Il décoche une flèche, fauche une vie et tend de nouveau son arc sans même sourciller. Moi, je n'aurais jamais pu être soldat, Montu. Le sauveur de l'Empire n'a pas l'étoffe ni le cœur de pierre du combattant. Tu comprends? Leonis n'aurait jamais pu faire de mal à personne. L'enfant-lion, lui, devra tuer si la situation l'y oblige. Alors, que dois-je faire, mon ami? Dois-je rester ce Leonis qui tremble à la seule idée de faire le mal ou dois-je devenir un être endurci et capable de verser le sang sans le moindre remords?

— Tu es fatigué, Leonis, soupira Montu. Cette nuit, tu as dit que tu serais prêt à sacrifier ta vie pour Menna. En ce moment, tu es fâché contre lui. Je suis certain que notre compagnon n'aime pas tuer les gens. Je suis sûr, par contre, qu'il n'hésiterait pas à assassiner tous les adorateurs d'Apophis afin de te permettre d'achever ta quête. Tout à l'heure, lorsque nous avons discuté du grand cataclysme, nous étions tous d'accord pour dire que nous devions préserver l'Égypte de la colère de Rê. C'est triste, mais à mon avis, même si mille hommes tombaient sous nos flèches, ce ne serait que peu de chose si nous réussissons à sauver l'humanité. Et, si jamais nous n'y arrivons pas, ceux qui auront péri auraient péri de toute façon dans la fureur du dieu-soleil.

Leonis jeta un petit rire railleur. Il allait riposter aux paroles de Montu lorsque des pas se firent entendre sur la route. Les adolescents se dissimulèrent davantage dans les buissons. Ceux qui approchaient étaient nombreux. S'agissait-il des adorateurs d'Apophis ? Durant un insoutenable instant, les deux amis retinrent leur respiration. Leurs muscles se détendirent lorsque Menna apparut à l'extrémité d'un massif de buissons qui leur masquait le chemin. Le commandant Neferothep accompagnait le jeune homme. Une cinquantaine de soldats de la garde royale marchaient derrière eux. À l'instant où la brigade atteignit le portail, Neferothep lança un ordre et ses combattants se déployèrent. Un groupe de guerriers pénétra dans la cité et des haies humaines se dressèrent pour bloquer les deux côtés de la route. Menna scruta les bosquets où se terraient Leonis et Montu. Ces derniers abandonnèrent leur cachette pour rejoindre leur compagnon d'aventure. Lorsque Menna aperçut ses amis, un immense soulagement illumina ses traits. D'une voix émue, il dit :

— Par bonheur, vous êtes saufs !

— Sankh n'a pas eu la même veine, lâcha sèchement Leonis en désignant du menton le cadavre de la sentinelle.

Déstabilisé par le ton cinglant du sauveur de l'Empire, Menna demeura pantois. Leurs regards se croisèrent et le combattant comprit aussitôt que son protégé était furieux contre lui. Il posa les yeux sur Montu qui haussa les épaules en signe d'impuissance. Leonis tourna le dos à Menna. Il fit quelques pas jusqu'au centre de la route et, sans daigner saluer le commandant Neferothep ni aucun des soldats de la garde royale, il observa longuement les corps des gardiens de portail. Sankh gisait face contre terre. Sa mortelle blessure n'avait presque pas saigné. N'eût été la flèche jaillissant de son dos, on aurait pu croire qu'il dormait. Quant à Outa, ses yeux exorbités et sa bouche grande ouverte témoignaient de la terreur indicible qu'il avait éprouvée avant de rejoindre le royaume des Morts. Ses mains étaient agrippées à la lance qui lui avait transpercé le cœur. Un cercle écarlate maculait le lin blanc de sa tunique. Posant une main sur l'épaule de l'enfant-lion, Menna le tira de son horrible contemplation. Sur un ton chargé de tristesse, le combattant expliqua:

— Je suis désolé, Leonis. Puisque nous nous doutions de la présence des adorateurs d'Apophis aux environs du portail, j'ai voulu capter leur attention en disant à voix haute que l'enfant-lion était blessé. J'espérais que l'un des deux gardiens se rendrait au palais pour avertir Neferothep. Si les choses s'étaient passées de cette manière, j'aurais ensuite repris ma course afin d'entraîner les hommes de Baka loin du portail nord. Ils m'auraient sans doute suivi en croyant que je pouvais les mener à toi. Ils ne m'auraient pas tué et j'aurais fini par les semer... Je ne pouvais savoir qu'Outa était l'un d'eux, Leonis. J'ai la certitude que nos ennemis n'auraient pas attaqué si ce jeune homme avait su conserver son sang-froid.

Avec ironie, l'adolescent riposta:

— Comme tu peux le constater, Menna, le malheureux Outa n'a tout simplement pas été en mesure de le conserver, son sang.

Menna ouvrit la bouche pour répliquer, mais jugeant sans doute qu'aucune parole n'aurait pu calmer la colère de l'enfant-lion, il se ravisa. Il fit la moue, se massa le crâne et jeta simplement:

— Il est temps de rentrer au palais, Leonis.

Le sauveur de l'Empire hocha lentement la tête. Ils rejoignirent Montu qui s'était tenu à l'écart en les observant d'un air grave. Neferothep donna quelques directives à ses hommes. Montu et Leonis furent entourés par une barrière compacte de guerriers. Menna préféra demeurer à l'extérieur de cet enclos de protection. La troupe pénétra dans Memphis et traversa la cité sous les regards curieux de quelques âmes matinales.

6
LE BONHEUR DE TATI

Depuis une semaine, Tati habitait dans une magnifique demeure. Elle mangeait beaucoup et dormait très bien. Elle n'avait cependant pas pu voir toutes les sections de la grande maison. Certaines pièces étaient destinées aux hommes. Sa chambre avait été aménagée dans le quartier des femmes. Mis à part ce lieu, la fillette n'avait pu visiter que la somptueuse salle principale et le vaste portique aux colonnes colorées qui donnait sur les jardins. Tati était heureuse. Après cinq années d'esclavage, elle savourait désormais, à chaque battement de son cœur, ce que l'existence pouvait offrir de mieux à une petite fille. Quelques semaines auparavant, elle n'était encore qu'une misérable créature à ce point négligeable que même les autres esclaves de l'atelier se permettaient de la couvrir de mépris. Maintenant, on la traitait avec une délicatesse et un respect qu'elle n'aurait jamais osé souhaiter.

Le jour de son arrivée, elle avait été confiée à une dame qui se nommait Khnoumit. Cette dernière souriait toujours et, malgré le fait qu'elle n'était plus très jeune, sa beauté était saisissante. Khnoumit s'était occupée de la nouvelle venue comme s'il s'agissait de sa propre fille. Elle avait même failli pleurer lorsque monsieur Hapsout lui avait présenté la pauvre Tati. Il faut dire que l'apparence de cette fillette avait de quoi émouvoir les âmes sensibles. Elle portait une belle robe et elle était plutôt propre. Seulement, en dépit des soins qu'elle avait reçus le jour de sa libération, les stigmates de sa vie d'esclave étaient toujours bien visibles. Un coiffeur de Thèbes avait dû raser sa chevelure crasseuse et emmêlée. À son arrivée à Memphis, ses cheveux avaient un peu repoussé, mais en examinant son crâne, on pouvait encore y discerner de nombreuses traces rougeâtres laissées par les poux. La malheureuse était maigre à faire peur. Sa peau était couverte de plaques. Ses mains et ses pieds semblaient façonnés dans l'écorce tellement ils étaient rugueux. Malgré tout, Tati souriait. Ses grands yeux admiratifs étincelaient d'un bonheur tout neuf. C'est sans doute cela qui avait ému la gentille Khnoumit : la petite Tati rayonnait d'une joie naïve. Comment pouvait-on sourire en traînant sur soi autant de misère? La fillette avait été soignée et cajolée. Khnoumit et ses huit compagnes qui logeaient toutes dans le quartier des femmes répondaient à ses moindres besoins.

Bien entendu, la fillette ne comprenait rien à ce qu'il lui arrivait. Lorsqu'on était venu la chercher pour l'emmener loin de l'atelier de tissage du maître Bytaou, Tati avait songé que son grand frère Leonis était responsable de sa libération. Mais si Leonis avait vraiment été derrière tout cela, il serait certainement déjà venu la visiter. Khnoumit n'avait pas pu l'éclairer à ce sujet. Monsieur Hapsout n'avait rien voulu lui expliquer. D'ailleurs, depuis qu'ils étaient arrivés dans cette maison, le jeune homme ne lui avait plus adressé la parole. Tati l'avait souvent vu arpenter les jardins. À quelques reprises, elle l'avait salué de la main, mais il n'avait jamais daigné lui rendre cette politesse. Monsieur Hapsout était visiblement un homme important. Il était un peu grincheux et la sœur de Leonis n'avait guère envie de l'importuner. Monsieur Hay et monsieur Amennakhté étaient beaucoup plus aimables que Hapsout. Toutefois, ils ne s'étaient pas montrés depuis qu'ils avaient quitté Tati dans le port de Memphis. Ces deux hommes avaient été très gentils avec elle. Pendant le voyage en barque, entre Thèbes et la capitale, monsieur Amennakhté lui avait même offert une jolie poupée qui, malheureusement, était tombée dans le grand fleuve. Monsieur Hay avait promis de lui en acheter une autre. Au fond, cette nouvelle poupée n'avait pas d'importance. La fillette avait cependant bien hâte de revoir ses deux amis.

L'après-midi débutait. Tati était accoudée à un enclos situé dans l'enceinte de la vaste propriété. La fillette aimait bien observer les animaux. Chaque jour, elle allait ainsi rendre visite aux vaches et aux bœufs. Elle les observait un long moment, leur trouvait de drôles de noms et, lorsque personne ne lui prêtait attention, elle se permettait de leur parler. Elle allait aussi caresser les ânes et se moquer des oies qui, dès qu'elle s'approchait d'elles, détalaient en se dandinant et en cacardant à tue-tête. Aujourd'hui, Tati avait remarqué le retour d'une vache tachetée de roux qu'elle n'avait pas revue depuis quelques jours. L'enclos renfermait aussi un nouvel occupant. Il s'agissait d'un veau tremblant qui avait les pattes presque aussi fines que des tiges de papyrus. Fascinée par l'insatiabilité du petit animal qui s'accrochait avec désespoir aux pis de sa mère, Tati n'avait pas entendu Khnoumit qui s'était approchée d'elle. La petite sursauta légèrement lorsque la femme glissa une main tendre sur son épaule.

— Je savais que je te trouverais ici, ma souris.

— Tu as vu, Khnoumit ? fit Tati en pointant le veau du doigt. La vache qui a des taches rousses était partie. Elle est revenue aujourd'hui avec une petite vache qui a l'air bien malade. J'espère qu'elle ne va pas mourir.

— Cette petite vache est un veau, Tati, expliqua Khnoumit avec un sourire. Il n'est pas malade. S'il semble si fragile, c'est parce qu'il vient juste de naître. La vache aux taches rousses est sa maman. Elle va bien s'en occuper et, dans peu de temps, le petit animal maigre que tu as devant les yeux deviendra grand et fort.

L'un des bras de Khnoumit entoura la taille frêle de la fillette. L'ignorance de Tati, qui témoignait de ses longues années de confinement et de privations, avait quelque chose d'attendrissant. Néanmoins, personne n'aurait pu douter de la grande intelligence de cette petite fille. Son esprit était vif et elle comprenait rapidement ce qu'on lui expliquait. Seulement, malgré ses onze ans, Tati s'interrogeait sur des choses qui n'avaient plus aucun secret pour des enfants beaucoup plus jeunes qu'elle. Khnoumit n'avait pas la moindre idée de ce que son frère Baka comptait faire de cette petite. Son envoyé, le laid et désagréable

Hapsout, lui avait confié Tati en lui expliquant que telle était la volonté du maître Baka. Khnoumit détestait son frère, mais elle ne pouvait faire autrement que de lui obéir afin de demeurer sous sa protection.

Quinze ans auparavant, lorsque Baka avait été chassé du trône d'Égypte, Khnoumit était reconnue comme l'une des plus belles femmes de l'Empire. Elle avait déjà trente-deux ans à cette époque et, durant le règne de son frère, celui-ci avait refusé d'accorder la main de Khnoumit à tous ceux qui avaient osé la demander. Lors de son expulsion, Baka et sa famille avaient été escortés jusqu'à la lointaine oasis de Farafra située dans le désert de Libye. Mykérinos avait avisé Baka qu'une mort atroce l'attendait s'il osait franchir de nouveau la frontière des Deux-Terres[2]. Bien sûr, Baka se moquait de cette menace. Avant même d'arriver à l'oasis, il avait déjà l'inébranlable intention de retourner en Égypte. Malgré tout, il demeura quelques mois à Farafra afin de voir au confort de ceux qui avaient été contraints à l'exil en même temps que lui. Khnoumit comptait parmi ceux-là. Elle, ses deux sœurs et treize autres personnes avaient

2. LES DEUX-TERRES: LE ROYAUME COMPORTAIT LA BASSE-ÉGYPTE ET LA HAUTE-ÉGYPTE. LE PHARAON RÉGNAIT SUR LES DEUX-TERRES.

habité durant trois ans dans un modeste camp dressé au milieu de l'oasis. Puis, un jour, Baka était revenu pour conduire les seize proscrits jusqu'aux vastes souterrains abritant le Temple des Ténèbres.

Khnoumit s'occupait désormais de l'une des nombreuses demeures de son frère. Pour les fonctionnaires de l'Empire, cette propriété appartenait à un certain Meni. Lorsque les gens du Pharaon venaient visiter la propriété pour évaluer et percevoir les impôts, Khnoumit se cachait dans un réduit aménagé sous la maison. Meni prenait alors la relève. Dans les archives du royaume, cet homme était un négociant très prospère, mais en vérité, Meni ne possédait rien. Dans la demeure dirigée par Khnoumit, il n'était qu'un simple serviteur. Lorsque la situation le commandait, il jouait toujours son rôle de noble à la perfection.

La sœur du maître des adorateurs d'Apophis affichait invariablement une extraordinaire joie de vivre. Ce bonheur apparent masquait toutefois une infinie tristesse. Khnoumit était confinée dans cette vaste demeure qu'elle habitait depuis sept longues années. Elle ne pouvait quitter l'enceinte de la propriété. En raison de sa grande beauté, elle avait jadis connu une gloire immense. De nombreux et éminents personnages avaient rêvé de l'épouser. Le peuple, obnubilé par sa grâce, guettait chacune de ses sorties. À cette époque, son splendide visage était le plus illustre de tous. C'est pourquoi Khnoumit était désormais prisonnière des barrières qui l'entouraient. Jamais elle n'eût pu s'aventurer au-dehors de l'enceinte sans être reconnue. Si les saisons avaient passablement altéré ses traits, elle conservait tout de même une apparence propre à attirer les regards.

L'arrivée inopinée de la petite Tati avait transformé le quotidien de Khnoumit. Cette dernière avait toujours caressé le rêve de pouvoir donner naissance à un enfant. Mais, dans l'ignoble société organisée et dirigée par son frère, elle avait jugé qu'il n'y avait aucune place raisonnable pour l'amour et la famille. Lorsqu'elle était revenue à Memphis, sa jeunesse était derrière elle. La belle Khnoumit avait dû renoncer depuis longtemps à son désir de devenir épouse et de donner la vie. La pauvre Tati avait attisé en elle une flamme qui ne s'était jamais vraiment éteinte. La sœur de Baka avait demandé à la fillette de lui raconter son bouleversant parcours. Elle avait su qu'en peu de temps, la petite était passée d'une enfance heureuse à la vie d'orpheline, puis d'une existence noble aux tourments de l'esclavage. Tati avait peu de souvenirs de sa mère. Elle se rappelait que son père était scribe et qu'elle avait un frère appelé Leonis. Khnoumit ne se préoccupait pas des desseins de Baka. Elle avait peu entendu parler de l'enfant-lion. Le nom de Leonis ne la fit donc pas tressaillir. Par contre, les motifs de Baka l'intriguaient énormément. Pour quelle raison lui avait-il envoyé cette misérable? Ce n'était certainement pas par charité qu'il avait ainsi acheté la liberté de cette jeune esclave. Depuis que Tati avait franchi le porche extérieur pour pénétrer sur la propriété, mille questions tournaient dans la tête de Khnoumit. Baka n'avait pas pu agir de la sorte par bonté d'âme. Elle le savait. Cependant, sans en avoir la moindre idée, le cruel maître des ennemis de la lumière venait de lui offrir le plus beau des cadeaux.

Khnoumit effleura d'une main douce les cheveux ras de Tati. Sur un ton affectueux, elle dit:

— Tu viens, ma souris? Il fait plus frais dans les jardins. Nous irons nous asseoir près de la piscine.

— Tu es comme cette vache rousse, Khnoumit, déclara Tati.

— Pourquoi donc? demanda la femme avec un sourire étonné.

— Moi, je suis comme ce veau: je suis un petit animal maigre, mais puisque tu t'occupes si bien de moi, je deviendrai bientôt grande et forte.

Le cœur de Khnoumit se serra. Elle saisit la main que Tati lui tendait et, d'un pas lent, la belle dame et la fillette se dirigèrent vers les jardins.

7
MENNA ET LES ABEILLES

Leonis fut réveillé par les murmures des servantes Raya et Mérit qui, discrètement, s'étaient introduites dans sa chambre. Debout devant le lit de l'enfant-lion, elles observaient ce dernier en discutant à voix basse et en étouffant leurs rires. L'adolescent avait conscience de la présence des jumelles. Toutefois, il tarda à ouvrir les yeux. Il se sentait si lourd et si confortable qu'il n'avait guère envie de s'extirper de l'enveloppe ouatée et onctueuse de son engourdissement.

— Il ne ronfle plus, fit remarquer Raya.

— Tu as vu dans quel état il nous revient ? dit Mérit.

— C'est une honte, ma chère sœur. Sa chevelure ressemble à la crinière d'un âne, ses ongles sont crottés, sa peau est sèche et il ne sent pas très bon... Malgré tout, il est toujours aussi beau. Je me demande comment il fait...

— C'est vrai, acquiesça Mérit. Il est vraiment mignon. N'empêche, nous aurons bien du travail à faire pour le rendre présentable! Le grand prêtre Ankhhaef et le vizir Hemiounou sont arrivés au palais. Il ne faudrait surtout pas qu'ils voient notre maître dans cet état. Que vont-ils penser de nous?

Leonis daigna enfin ouvrir les paupières. Il s'étira avec application et adressa un sourire indolent aux jeunes filles. Quand son regard croisa la fenêtre, il fut surpris de constater que le soir tombait. En se frottant les yeux d'une main gourde, il marmonna:

— J'ai dormi longtemps, on dirait.

— Tu as dormi comme une pierre, Leonis, répondit Raya. Atoum est presque parvenu à la fin de sa course[3]. La nuit viendra bientôt.

Mérit roula des yeux menaçants et agita comiquement son index pour réprimander l'enfant-lion:

— Ce matin, à ton arrivée, tu as à peine salué tes aimables et dévouées servantes, Leonis! Tu aurais quand même pu nous parler

---

3. DANS L'ÉGYPTE ANCIENNE, LE SOLEIL ÉTAIT LA PERSONNIFICATION DU DIEU RÊ. DU MIDI AU COUCHANT, RÊ DEVENAIT ATOUM-RÊ. CE VIEILLARD, ILLUSTRANT LE DÉCLIN DE LA VIE, ÉTAIT LE SYMBOLE DE LA FIN DU JOUR.

un peu avant de te cloîtrer dans ta chambre!

Le garçon s'installa péniblement sur le bord de son lit. Il se massa la tête avant d'expliquer:

— J'étais exténué, mes amies. Notre expédition dans les marais a été éprouvante. De plus, ce matin, les adorateurs d'Apophis nous attendaient au portail nord. Menna, Montu et moi sommes sains et saufs, mais...

— Nous sommes au courant, Leonis, déclara Raya. Menna et Montu nous ont déjà tout raconté...

La servante laissa planer un silence embarrassé. Leonis fronça les sourcils. Il remarqua une ombre de désapprobation dans le regard de Raya. Mérit fixait le sol en jouant nerveusement avec un pli de sa robe blanche. D'une voix sourde, l'adolescent demanda:

— Vous ne comprenez pas ma colère, n'est-ce pas?

Mérit rétorqua sur un ton monocorde:

— Notre devoir est de comprendre les sentiments et les envies de notre maître, Leonis. Nous devons également approuver chacune de ses paroles. Donc, nous sommes d'accord avec toi.

— Cessez ce petit jeu, les filles! proféra l'enfant-lion. Il est inutile de dire que vous êtes d'accord avec moi quand vos yeux m'affirment le contraire. Vous savez très bien que, dans cette demeure, vous êtes libres de penser et de vous exprimer comme bon vous semble !

Les jumelles évitèrent de répliquer. Leonis se leva. Une grimace déforma ses traits lorsqu'il s'appuya par mégarde sur sa cheville blessée. Raya et Mérit s'avancèrent pour lui venir en aide. Sans brusquerie, il les repoussa d'un geste de la main.

— Ça ira, mes amies, assura-t-il.

D'un œil critique, Raya examina l'adolescent de la tête aux pieds. Elle eut une lippe dédaigneuse avant de conclure :

— Tu es dégoûtant, Leonis. Nous allons te préparer un bain. Ce soir, tu devras te rendre au palais pour y rencontrer le vizir.

L'enfant-lion afficha un air préoccupé. Une question lui brûlait les lèvres. Il ouvrit la bouche pour la formuler, hésita un moment, puis, en glissant une main nerveuse dans ses cheveux en désordre, il osa enfin interroger les servantes :

— Les hommes de Pharaon ont-ils retrouvé ma petite sœur ?

— Nous n'en savons rien, répondit Mérit. Le vizir Hemiounou pourra certainement te renseigner.

En boitant, Leonis se dirigea vers la fenêtre. Un moment, il observa les jardins dont le décor s'estompait dans les dernières lueurs du couchant. Il revint vers les jeunes filles, inspira profondément et serra les poings avant de dire :

— Ce matin, j'ai demandé au commandant Neferothep s'il était au courant du déroulement des recherches. Il ne possède aucune information à ce sujet. S'ils avaient retrouvé Tati, cela se saurait, non ?

Les doigts délicats de Raya effleurèrent la joue du sauveur de l'Empire. D'une voix apaisante, elle chuchota :

— Ne sois pas inquiet, Leonis. S'ils ont retrouvé ta sœur, il serait normal que nous ne le sachions pas. Je te rappelle qu'il y a un espion dans notre entourage. Pour sa protection, Tati est peut-être gardée dans un lieu tenu secret.

— J'espère que tu as raison, Raya, murmura l'enfant-lion en baissant la tête.

Après le bain, Leonis avait dû se soumettre aux soins habiles d'un manucure et d'un coiffeur. Les jumelles avaient oint sa peau d'huile et il s'était parfumé avec de l'encens. Après avoir revêtu une tunique légère, il gagna la salle principale où un repas l'attendait. En entrant, il vit ses compagnons qui discutaient devant une table basse chargée de victuailles.

Ils tournèrent les yeux dans sa direction. Le visage de Montu s'éclaira. Quant à Menna, ses traits demeurèrent impassibles.

— Nous avons cru que tu ne te réveillerais jamais ! s'exclama Montu. Tout à l'heure, je suis entré dans ta chambre. Il aurait été plus facile de sortir une momie de son sommeil que de te faire réagir !

— Si Raya et Mérit ne m'avaient pas réveillé, je crois que j'aurais dormi jusqu'à demain matin.

Leonis saisit un coussin et s'attabla confortablement. Considérant avec convoitise les nombreux plats qui s'offraient à lui, l'adolescent se frotta les mains un moment avant de s'emparer d'une cuisse d'oie rôtie et dodue. Il mordit dans la chair succulente et savoura sa bouchée en fermant les paupières. Après avoir émis un long soupir de contentement, il déclara :

— Le vizir Hemiounou et le grand prêtre Ankhhaef nous attendent au palais.

— Nous sommes déjà au courant, Leonis, répondit Menna. Je dois t'informer que le coffre contenant les trois premiers joyaux est maintenant en sécurité. Neferothep et ses hommes l'ont transporté jusqu'ici. Il se trouve désormais dans une pièce du palais royal. Des soldats le surveilleront jour et nuit.

— C'est une excellente nouvelle, Menna. Est-ce que le coffre a été ouvert?

— Non, répondit le soldat. Pharaon tient à assister à son ouverture. Présentement, Mykérinos n'est pas à Memphis. Il a dû s'absenter pour visiter un nome de la Haute-Égypte. Selon le vizir, il sera de retour dans deux semaines.

— Deux semaines, répéta l'enfant-lion en faisant la moue. Comment pourrons-nous patienter jusque-là? Pour reprendre notre quête, nous devons d'abord avoir une idée de l'endroit où sont dissimulés les prochains joyaux. Le message qui pourra nous guider vers eux est certainement enfermé dans le premier coffre. Si ce n'était pas le cas, nous l'aurions déjà découvert. Tout ça est très contrariant, mes amis. Ces deux semaines d'attente représenteront une invraisemblable perte de temps.

— Nous avons besoin de repos, Leonis, soutint Menna. Comme le disait si bien mon père: «Pour que l'âne transporte longtemps son fardeau, il faut savoir le ménager.» Nous profiterons de cette pause pour recouvrer nos forces. Ta cheville doit guérir et nous avons quelques affaires à régler dans l'enceinte de ce palais.

— Tu veux parler de l'espion? questionna Montu.

— En effet. Jusqu'à présent, ce traître nous a causé bien des problèmes. Il est grand temps de découvrir sous quel masque il se cache…

Menna but une gorgée de vin. Il marqua une pause et examina son gobelet qui brillait faiblement dans la lueur des lampes à l'huile. D'une voix sans timbre, il fit:

— Est-ce que tu m'en veux encore, Leonis?

L'enfant-lion planta son regard dans celui du jeune combattant. Ses lèvres dessinèrent un vague sourire et il déclara:

— Je ne t'en veux pas, Menna. Ce matin, avant de m'endormir, j'ai songé à l'incident qui s'est produit au portail nord. Après réflexion, je suis forcé d'admettre que, comme d'habitude, tu as très bien accompli ton devoir. Tu es mon protecteur et je ne serais peut-être plus de ce monde si tu n'avais pas été là. Seulement, ma colère n'est pas apaisée. J'en veux à la destinée qui a fait de moi le sauveur de l'Empire. Je me rends bien compte que le chemin menant au bout de cette quête sera souillé de sang et encombré de cadavres. En te regardant, je vois un frère et un compagnon courageux. Mais, en raison de l'amitié qui nous lie, j'ai tendance à oublier que tu es, avant tout, un rigoureux combattant. En devenant soldat, tu as accepté de risquer ta vie. Tu as aussi accepté de tuer…

Leonis mâchouilla une olive avant de poursuivre:

— Il faut me comprendre, Menna. Mon cœur n'est pas celui d'un combattant. Quand j'étais petit, je me souviens d'avoir vu un gamin assommer une grenouille avec un bâton. Je suis rentré chez moi en pleurant. Je t'assure de mon affection, mon ami. J'éprouve tout de même du mal à faire la part des choses. Ce matin, une dure réalité m'est apparue: pour la première fois depuis que j'ai fait ta rencontre, je me suis rendu à l'évidence que tu pouvais semer la mort sans hésiter et sans te sentir coupable. Désormais, lorsque je serrerai ta main dans la mienne, je devrai m'efforcer d'oublier que cette main est aussi celle d'un redoutable tueur.

Menna sursauta légèrement. Sa riposte fut pondérée, mais énergique:

— Tes paroles me blessent, Leonis. Même si mes flèches fauchent des vies, je ne suis pas pour autant un assassin. Sache que je ne ressentirai jamais de plaisir en tuant un homme. Je ne suis pas devenu soldat pour verser le sang ni pour amonceler avec fierté les têtes des ennemis de l'Empire. Je me suis engagé pour protéger le royaume d'Égypte. Sur la terre de mon enfance, il y avait des ruches grouillantes d'abeilles. Les abeilles sont inoffensives si on les traite avec calme et respect. Mon père ne se protégeait pas lorsqu'il puisait le miel. Pourtant, les abeilles ne le piquaient que très rarement. Elles savaient qu'il ne représentait pas une menace pour elles. Ces insectes besognent sans arrêt. Leurs ruches ressemblent à de petits empires. Il y a une reine, des ouvrières et des combattantes. Ce matin, j'ai comparé les adorateurs d'Apophis à des guêpes. J'ai souvent vu ces vilaines bestioles attaquer nos ruches. Chaque fois, les abeilles protégeaient bravement leur demeure. Elles étaient nombreuses à mourir car, contrairement à la guêpe, l'abeille trépasse après avoir utilisé son dard. Qu'elle en ait conscience ou non, l'abeille donne sa vie afin de protéger son petit royaume. Elle n'est pas une tueuse. Elle n'est même pas hostile. L'abeille est pacifique. Pourtant, il lui arrive de tuer. Je suis comme l'abeille, Leonis : je suis prêt à piquer et à mourir pour préserver ma ruche de l'envahisseur…

Le jeune soldat s'interrompit un moment. L'enfant-lion avait baissé la tête. Menna s'offrit une autre gorgée de vin et il continua sur sa lancée :

— Il est temps que tu comprennes toute l'importance de ta mission, Leonis. Rien ne te sert de sangloter de la sorte sur la tombe de quelques hommes. Des milliers de milliers d'âmes sont condamnées. C'est entre tes mains que leur salut repose. Tu m'as choisi pour que je devienne ton protecteur et, tant que mon cœur battra, je te jure que chaque ennemi qui se dressera devant nous périra par mon arc, mon javelot, mon poignard ou mes mains. Tu es bien jeune, je le sais. Ta naïveté est grande et tu voudrais sauver l'Empire en convainquant les hommes de Baka que ce qu'ils font n'est pas très gentil. Figure-toi qu'ils le savent, Leonis ! Il faudrait que tu te mettes dans la tête que ces gens-là te détestent ! Il faudrait aussi que tu saisisses enfin que leur plus grand bonheur serait de voir ta dépouille portée au tombeau !

Leonis n'ajouta rien. Menna avait parlé avec sagesse. Pour le sauveur de l'Empire, le temps était venu d'accomplir entièrement sa destinée. L'enfant-lion devait perdre son innocence. Il devait devenir moins pur. Il devait devenir… un homme.

8
DOULOUREUSE NOUVELLE

Leonis, Montu et Menna pénétrèrent dans une salle sans fenêtres et sobrement décorée. Deux flambeaux éclairaient l'endroit. Des nattes recouvraient le sol et les murs. Assis sur un îlot de coussins pourpres, le vizir Hemiounou et le grand prêtre Ankhhaef discutaient à voix basse. En apercevant les trois aventuriers, le vizir interrompit la conversation en poussant une exclamation de joie. Il se leva pour marcher vers les nouveaux venus. Ankhhaef se leva également. Il demeura cependant en retrait. Son visage était ému et une profonde admiration se lisait dans son regard. Après avoir donné l'accolade aux héros, le vizir les félicita avec enthousiasme :

— Vous venez d'accomplir un remarquable exploit, mes amis ! Les trois premiers joyaux sont entre nos mains! Je vous rends grâce au nom de Pharaon et en celui du peuple de la glorieuse Égypte!

— Santé et force à vous, honorable Hemiounou! lança Leonis en s'inclinant. La réussite de notre mission nous comble d'une grande fierté. Toutefois, la quête est loin d'être terminée. Nous ne célébrerons qu'au moment où les douze joyaux seront rassemblés sur la table solaire.

À son tour, Ankhhaef s'approcha pour enlacer les jeunes gens. En pressant Leonis sur son cœur, il dit, d'une voix tremblante:

— Bienvenue à Memphis, enfant-lion. J'avais peur de ne plus jamais te revoir. Celle dont la peau est d'or[4] a entendu mes supplications. Vous êtes revenus, tes braves alliés et toi. Encore une fois, la réussite vous accompagne. Chacun de vos triomphes, telle une huile, vient nourrir la flamme de notre espérance.

Le vizir retourna s'asseoir et, d'un geste de la main, il invita les autres à faire de même. Lorsqu'ils furent tous confortablement installés, Hemiounou prit la parole:

— Pharaon n'est malheureusement pas à Memphis, mes amis. Il est actuellement à Nekhen où il doit rencontrer l'administrateur du nome de la couronne blanche. Il a formulé

---

4. LA DÉESSE HATHOR.

le désir d'assister à l'ouverture du coffre si, bien sûr, vous ne l'aviez pas déjà fait. Puisque le couvercle du coffre est toujours scellé, nous devons attendre le fils de Rê avant de pouvoir admirer les trois premiers joyaux.

— Dans les marais, il nous était impossible d'ouvrir le coffre, expliqua Menna. Nous ne voulions surtout pas l'abîmer en forçant son couvercle. En voyant qu'il avait été scellé de la sorte, nous en avons déduit que les joyaux se trouvaient toujours à l'intérieur. Ce coffre est en or massif. À lui seul, cet objet vaut une fortune. En toute logique, personne n'aurait pu se résoudre à l'abandonner après avoir subtilisé les joyaux qu'il contenait. Nous ne pouvons nous tromper quant à l'usage de cette merveille. Les inscriptions qui l'ornent prouvent qu'elle a été façonnée pour renfermer le scarabée, le faucon et le chat.

En fronçant les sourcils, Ankhhaef demanda:

— Possédez-vous un indice qui vous permettra de continuer la quête?

— Non, répondit Leonis. La grotte dans laquelle le grand prêtre Nedjem-Ab avait dissimulé le coffre ne contenait rien qui aurait pu nous guider en ce sens. Nous croyons que le prochain indice nous sera dévoilé en même temps que les joyaux.

— J'espère que c'est le cas! s'alarma Hemiounou.

— Rien n'est certain, avoua l'enfant-lion. Mais, lorsque nous étions dans le nord du delta, avant d'entreprendre notre voyage de retour, nous avons longuement réfléchi à ce problème. Selon nous, la meilleure façon de protéger le prochain message contre les méfaits du temps était de l'enfermer dans le coffre.

— Le premier coffre a probablement été dissimulé après les trois autres, précisa Montu. À notre avis, Nedjem-Ab a été le dernier des quatre prêtres à partir en mission. Ensuite, il est retourné à Héliopolis pour cacher le papyrus que nous avons découvert dans la chambre secrète.

— Les choses se sont probablement déroulées ainsi, approuva le vizir. Malheureusement, avant d'avoir ouvert ce coffre, nous ne pourrons en être assurés. Il y a désormais cent cinquante années que les douze joyaux ont été soustraits au regard des hommes. Dans les archives de l'Empire, il n'y a presque pas de traces de leur existence. Nous devons espérer que ce premier coffre nous mènera au second... Oui... Il ne nous reste plus qu'à l'espérer de toutes nos forces...

Hemiounou se tut. L'espace d'un moment, l'angoisse décomposa ses traits. Un lourd et long silence s'imposa. Le vizir se massa le visage comme s'il avait voulu effacer l'expression de crainte qui le marquait. Il respira profondément et s'efforça de sourire pour reprendre, sur un ton qui se voulait enthousiaste :

— Mais à quoi bon nous inquiéter pour la suite de votre quête, jeunes gens ? Nous devrions plutôt nous réjouir de l'arrivée des trois premiers joyaux ! Je meurs d'envie d'entendre le récit de vos récentes aventures ! Allez-y ! Racontez-moi tout !

— Pardonnez-moi, vizir, dit l'enfant-lion, sur un ton légèrement embarrassé. Si vous le permettez, j'aimerais d'abord savoir s'il y a du nouveau au sujet des recherches qui sont menées afin de retrouver ma petite sœur Tati.

Immédiatement après avoir prononcé ces paroles, Leonis devina qu'une très mauvaise nouvelle l'attendait. Le vizir tourna la tête du côté d'Ankhhaef. Les deux hommes échangèrent un regard consterné. Le grand prêtre posa ensuite les yeux sur le sauveur de l'Empire pour lui annoncer avec tristesse :

— Ta sœur a été enlevée, Leonis.

— Que... que me dites-vous là, grand prêtre ? C'est... c'est impossible !

— Je suis désolé, mon garçon, répondit Ankhhaef. Nos hommes ont retrouvé l'endroit où besognait Tati. Pendant trois ans, ta petite sœur a tissé le lin dans un atelier situé aux abords de Thèbes. Le propriétaire de cette fabrique se nomme Bytaou. Il y a quelques semaines, cet homme a formulé une plainte auprès des autorités. Il disait qu'on lui avait volé une esclave. Selon lui, on avait également assassiné la contremaîtresse de l'atelier de tissage. Bytaou était toutefois absent le jour où ont été commis ces actes. Il n'a fait part de ces supposés crimes que deux semaines après leur perpétration…

— Venez-en aux faits, grand prêtre, supplia Leonis. Dites-moi ce qui vous indique que ma sœur a été enlevée.

— En premier lieu, je tiens à tout t'expliquer, Leonis. Je veux que tu comprennes la situation. La suite de mon récit te causera certainement beaucoup de chagrin. Seulement, j'estime que tu as le droit de tout savoir. Après mon compte rendu, j'ai la certitude que tu en viendras aux mêmes conclusions que nous. Ce constat sera très douloureux à faire, je te préviens.

Leonis ne dit rien. Il serra les mâchoires, prit une grande goulée d'air et il tendit les muscles comme s'il s'apprêtait à recevoir un coup. D'un signe de la tête, il convia Ankhhaef à continuer. Le grand prêtre s'exécuta:

— L'assassinat de la contremaîtresse n'a pu être prouvé. Les esclaves de la fabrique ont découvert son cadavre près du dortoir des ouvrières. Un médecin a immédiatement été appelé. Il a constaté que la pauvre dame avait eu la nuque brisée. Selon lui, sa mort pouvait très bien avoir été causée par une mauvaise chute. Son corps a été rapidement porté au tombeau et, lorsque Bytaou a formulé sa plainte, il n'était plus possible de confirmer ses soupçons. Les autorités n'ont pas fait grand cas du vol de la jeune esclave. Comme tu le sais, Leonis, les esclaves ne valent presque rien. C'est triste, mais si Bytaou s'était fait voler un âne, les autorités auraient pris la chose plus sérieusement. Quand les hommes chargés de retrouver ta sœur se sont présentés à l'atelier de Bytaou, il y avait déjà vingt jours que les crimes avaient été commis. Bien entendu, nos envoyés ne savaient rien à propos de ces événements. Ils ont demandé à Bytaou s'il possédait une esclave nommée Tati… C'est à ce moment qu'ils ont su que ta petite sœur avait été enlevée…

De la paume, Ankhhaef essuya la sueur qui perlait sur son crâne chauve. Il ajusta l'encolure de sa tunique avant de poursuivre :

— Quelques esclaves ont été témoins de l'enlèvement de ta petite sœur, enfant-lion. Ce jour-là, un jeune individu aux allures de noble est entré dans l'atelier. Il s'est entretenu avec la contremaîtresse et il a prononcé clairement le nom de Tati. La contremaîtresse a accompagné le visiteur à l'extérieur et ils se sont absentés un long moment. La dame est revenue en disant à Tati que ce monsieur venait d'acheter sa liberté. Les ouvrières qui ont été interrogées ont prétendu qu'elles n'avaient jamais vu leur contremaîtresse sourire ainsi. Nous pensons qu'elle a reçu une petite fortune pour livrer Tati à ce type. Ta sœur a aussitôt suivi le jeune homme. Une esclave a affirmé que ce visiteur n'était pas seul. Deux gaillards l'attendaient à l'extérieur. Ils sont partis aussitôt. La contremaîtresse a dit aux tisserandes qu'elle devait s'absenter un moment. Par la suite, personne ne l'a revue vivante. Elle a sans doute voulu dissimuler les fruits de sa transaction. Les mystérieux visiteurs devaient l'attendre non loin de là. Ils l'ont vue quitter l'atelier et ils sont revenus pour la tuer.

Les lèvres du sauveur de l'Empire étaient secouées de tremblements. Il serrait les poings à s'en faire blanchir les phalanges. Des larmes de colère et de désespoir glissaient sur la peau cuivrée de son visage. Avec hargne, il lança:

— Ces hommes étaient sans doute des adorateurs d'Apophis. C'est ce que vous en avez conclu, n'est-ce pas?

— En effet, Leonis, acquiesça le vizir dans un murmure empreint de remords. J'ignore comment ils ont pu réussir un semblable tour de force, mais nous sommes obligés d'admettre que les hommes de Baka ont précédé les nôtres. Ils connaissaient le nom de ta sœur et ils se sont présentés au bon endroit…

— Comment pouvez-vous expliquer un tel échec, vizir ? coupa Leonis avec véhémence. Que valent les soldats de l'Empire s'ils sont incapables de mettre la main sur une misérable petite fille ?

— Tu t'adresses au vizir, enfant-lion, s'interposa Ankhhaef. Devant lui, tu dois veiller à t'exprimer avec calme et respect !

Hemiounou eut un geste d'apaisement.

— Je comprends la colère du sauveur de l'Empire, Ankhhaef. Nos révélations ont jeté du venin dans ses veines. Nous attendons de lui qu'il sauve le monde, mais nous avons été incapables de répondre à son plus cher désir. Nos soldats se sont présentés vingt jours trop tard à la fabrique de Bytaou. La petite Tati serait parmi nous, ce soir, si les ennemis de la lumière n'avaient pas disposé de renseignements à son sujet.

— De toute évidence, avança Menna, l'espion du palais royal a encore fait des siennes.

— Cette fois, il est allé beaucoup trop loin, glissa Montu. Nous allons mettre fin à son petit jeu. Nous reprendrons la quête quand ce scélérat sera mis hors d'état de nuire.

Leonis n'ajouta rien. Sous la buée de larmes qui faisait luire ses yeux verts se lisait une détermination plus froide que la mort.

9
TRAÎTRE OU TRAÎTRESSES?

Après avoir été informé de l'enlèvement de sa sœur, Leonis exprima le désir de rentrer chez lui. Le vizir Hemiounou accéda à sa demande et la réunion s'acheva dans une atmosphère de deuil. Montu et Menna quittèrent le palais en même temps que l'enfant-lion. Le jeune soldat s'était muni d'une lampe. Comme ils s'engageaient dans l'allée menant aux jardins, Montu murmura:

— Je vais démasquer cet espion, mon vieux. C'est une promesse. Si je n'y arrive pas, je veux bien être momifié vivant.

— Tu ne seras pas seul dans tes recherches, Montu, renchérit Menna. Désormais, ce traître sera notre gibier. Quand nous l'aurons débusqué, il faudra l'interroger jusqu'à ce qu'il nous indique l'endroit où Tati est emprisonnée... Nous la retrouverons, Leonis. S'il est vrai que ta sœur est entre les mains des adorateurs d'Apophis, ils ne la tueront pas. Elle est trop précieuse pour Baka. Tant que tu seras vivant et que l'offrande suprême n'aura pas été livrée, ils auront besoin d'elle pour te rendre vulnérable.

Leonis regardait le ciel. Il examina un moment les veinures bleutées qui sillonnaient la chair pâle de la lune. D'une voix faible, il déclara enfin :

— Qui nous dit que ma petite sœur n'a pas déjà rejoint le royaume des Morts ? Nos ennemis pourront nous faire croire n'importe quoi à son sujet.

— Elle est vivante, Leonis, affirma Menna. Ils s'en serviront probablement comme appât afin de nous attirer dans une embuscade. Ces crapules ne pouvaient trouver meilleure arme contre nous.

Le sauveur de l'Empire s'immobilisa.

— Continuez sans moi, mes amis, dit-il. J'ai besoin d'être seul un moment. J'irai vous rejoindre dans peu de temps.

Avant de se séparer, ils s'enlacèrent avec tristesse. Leonis s'enfonça dans les ténèbres. En s'appuyant sur son bâton de bois pour épargner sa cheville, il se dirigea vers le grand bassin. Grâce à la lumière de la lune qui s'y reflétait, le plan d'eau était facilement repérable dans la noirceur des jardins. L'adolescent s'assit sur un banc. Ses idées étaient confuses. Curieusement, il ne ressentait plus qu'un vague chagrin. Des projets de vengeance germaient dans son esprit. Les adorateurs d'Apophis venaient de s'en prendre à sa petite sœur. Dans le cœur de l'enfant-lion, rien n'avait autant d'importance que Tati. Selon Menna, elle n'était pas morte. Toutefois, malgré les paroles rassurantes du soldat, Leonis ne pouvait s'empêcher de croire que sa sœur, si elle vivait, devait connaître les pires moments de son existence. Il l'imaginait dans un cachot, affamée et livrée en pâture à la vermine. Ces atroces pensées décuplaient sa rage. Il était le sauveur de l'Empire. Il était le principal ennemi des adorateurs d'Apophis. Si le dieu-soleil avait choisi quelqu'un d'autre pour mener la quête des douze joyaux, Tati ne serait jamais devenue la prisonnière de Baka. Ses réflexions amenèrent l'adolescent à se considérer, durant un long moment, comme l'unique responsable du sort de sa petite sœur. Puis, en se frappant sur les cuisses, Leonis laissa échapper un rire sifflant dans la nuit silencieuse. Ensuite, il s'adressa de vive voix au dieu-soleil:

— Comme l'a dit Menna, ce soir: «Pour que l'âne transporte longtemps son fardeau, il faut savoir le ménager.» Je suis l'âne de cette histoire et tu ne me ménages pas, Rê. Lorsque je suis devenu orphelin, je n'étais encore qu'un enfant. On m'a vendu comme esclave et, ce même jour, j'ai été séparé de ma sœur. J'ai besogné dans la poussière et sous tes rayons brûlants. Je me suis évadé au péril de ma vie et, presque aussitôt, on m'a désigné comme sauveur de l'Empire. Jusqu'à présent, j'ai vaillamment mené ma quête. J'ai surmonté les épreuves sans jamais reculer. L'âne a accepté son fardeau sans trop se plaindre, mais aujourd'hui, il en a assez. On m'a offert une belle demeure et je mange comme Pharaon mange. Si je le demandais, on me couvrirait d'or. Mais, ces choses-là ne sont rien, Rê. C'est normal qu'on m'offre ces richesses puisque je suis le seul être à pouvoir empêcher la fin des fins. Qu'est-ce qu'un peu d'or, pour un roi, lorsqu'il risque de tout perdre?

Leonis se pencha, tâta le sol, trouva un caillou et le lança avec violence dans le miroir du bassin. Le reflet de la lune se brisa. L'enfant-lion observa longuement le jeu de l'onde perturbée avant de poursuivre:

— Mon corps est bien, mais mon cœur souffre. Il souffre parce que toi, jour après jour, tu augmentes mon fardeau. Tu m'entends, Rê? Si ma petite sœur perdait la vie, ma propre survie et celle du monde n'auraient plus d'importance. Il paraît que le royaume des Morts est encore plus beau que l'Égypte. Il paraît que la justice de Maât règne sur le monde d'en bas. Le jour du grand cataclysme, chaque être humain rencontrera Osiris pour subir le jugement du tribunal des Morts. Celui dont le cœur impur sera plus lourd que la plume de Maât sera condamné. Le juste, lui, franchira les portes de ton royaume, Rê. Pour quelle raison devrais-je sauver l'Empire? Puisque le royaume des Morts est magnifique, les gentils seront comblés de bonheur en le rejoignant. Seuls les méchants souffriront de ta colère. Dois-je me battre pour les méchants de ce monde? Dois-je me battre, encore, pour les injustes, les menteurs et les assassins? Je n'ai plus envie de sauver l'Empire. Je vais commencer par découvrir l'identité du sale traître qui a informé Baka de l'existence de Tati. Ensuite, je tenterai de la retrouver. Si j'y arrive, je consacrerai le reste de ma vie à cette pauvre petite. Je sais que, lorsque ta colère anéantira les hommes, ma sœur ira rejoindre notre père Khay et notre mère Henet dans le divin royaume des Morts. Moi, je serai sans doute condamné pour ne pas avoir accompli ma mission. Seulement, puisque tu m'as si bien habitué à la souffrance, Rê, sache que je suis maintenant prêt à souffrir pour l'éternité. Je n'ai plus de peine. La rage qui brûle en moi a asséché mes larmes.

Leonis se leva. Le dieu-soleil avait-il entendu ses récriminations ? Peu lui importait. Les mots qu'il venait de proférer l'avaient libéré d'un poids. Il venait de prendre une importante décision. Montu et Menna ne comprendraient certainement pas son désir de tout laisser tomber. L'enfant-lion n'avait donc aucune envie d'en discuter avec eux. Sa révolte n'était pourtant pas difficile à expliquer. Il se sentait floué. Pharaon lui avait assuré de tout mettre en œuvre afin de retrouver Tati. Mais, en dépit de cette assurance, les hommes de Mykérinos avaient échoué de façon lamentable. À lui seul, Leonis avait rapporté le talisman des pharaons. Par la suite, avec l'aide de ses compagnons, il avait récupéré les trois premiers joyaux de la table solaire. Après avoir mené à bien d'aussi périlleuses missions, l'adolescent ne pouvait admettre les insuccès des envoyés de l'Empire. À son avis, en déployant les forces nécessaires, les hommes de Pharaon seraient certainement parvenus à atteindre Tati avant que les adorateurs d'Apophis ne l'enlèvent. Les ennemis de la lumière, malgré leur nombre sans doute plus modeste, avaient tout de suite compris que, dans le cœur de son frère, la jeune esclave était plus importante que le royaume lui-même. L'ennemi avait mené ses propres recherches avec rigueur. Tati était dorénavant leur captive.

D'un pas lent, Leonis gagna sa maison. Quelques fenêtres de la vaste demeure dessinaient des rectangles blafards dans l'opacité de la nuit. Un flambeau avait été allumé sur la terrasse. D'où il se trouvait, l'enfant-lion pouvait apercevoir les silhouettes de Montu et de Menna. Il y avait également de la lumière dans la section où logeaient les servantes. Leonis ressentit alors le besoin d'aller discuter avec Raya et Mérit. Il voulait leur annoncer l'enlèvement de Tati et retirer, si la chose était encore possible, un peu de réconfort de la tendre présence de ces jeunes filles qu'il considérait un peu comme des sœurs.

Leonis rentra chez lui, laissa son bâton dans le hall et se dirigea vers le quartier des femmes. Pour le moment, seules les jumelles habitaient cette partie de la maison qui comptait six chambres. Ces dernières donnaient sur une grande pièce décorée avec une délicatesse toute féminine. L'une des pièces était réservée à Tati. Pour l'instant, elle était et resterait sans doute désespérément vide.

L'adolescent hésita un peu avant d'oser pénétrer dans ce lieu réservé au confort des jumelles. Il s'arrêta à quelques pas de la porte lorsqu'il entendit les voix de ses amies. Elles discutaient en murmurant presque. Leonis put tout de même discerner une vague inquiétude dans leur ton. Il s'approcha et tendit l'oreille afin de savoir si le temps était bien choisi pour perturber l'intimité de Raya et de Mérit. Lorsqu'il perçut les premières bribes de leur conversation, un frisson d'angoisse lui zébra le dos. Raya disait :

— Il faut agir tout de suite, Mérit. Ils sont trois dans la maison. Ils finiront bien par découvrir notre petit secret.

— Je ne peux me résoudre à faire une chose pareille, Raya. Le pauvre. Il est trop mignon.

— Tu dois te décider, Mérit. Sinon, je le ferai moi-même. Le maître sera en colère. Tu sais ce que cela signifierait pour nous.

— Mais Leonis est si gentil, Raya. Je ne peux croire qu'il...

— Arrête de te conduire en gamine, Mérit. Nous avons fait le serment d'obéir au maître. Même s'il est mignon et gentil, nous devons nous débarrasser de lui. Nous avons attendu trop longtemps. Tu devras le faire cette nuit. Dans le noir, les risques de te faire prendre seront moins nombreux. Tu dois tirer profit du fait que l'enfant-lion ne se doute de rien.

Il y eut un silence. Leonis perçut quelques reniflements. Mérit pleurait. Le sauveur de l'Empire avait du mal à croire aux paroles qu'il venait d'entendre. Pourtant, il ne pouvait y avoir d'erreur. Les propos échangés par les servantes prouvaient, sans l'ombre d'un doute, que les jumelles étaient du côté de l'ennemi. Ainsi, il n'y avait pas qu'un seul espion au palais. Il y en avait deux! Deux jolies traîtresses qui avaient si bien joué leurs rôles de servantes dévouées et d'amies sincères qu'elles étaient parvenues à tromper la vigilance de chacune des personnes de leur entourage. Leonis hochait la tête de gauche à droite. Il était partagé entre la fureur et la stupéfaction. De l'autre côté de la porte, Mérit déclara:

— Tu es bien cruelle, Raya. Suis-je vraiment obligée de le tuer?

— Oui, ma pauvre sœur. Il n'y a pas d'autre solution. Tu l'empoisonneras. De cette manière, il ne souffrira pas longtemps. Tcha a déjà creusé un trou. Nous l'enterrerons dans les jardins et, quand l'aube viendra, il ne restera plus aucune trace de lui. Je ne suis pas cruelle, Mérit. Je suis aussi malheureuse que toi en ce moment. J'ai eu le temps de m'attacher à lui, moi aussi. Nous avions pensé qu'il ne reviendrait pas, mais il est revenu, ce misérable chien.

Leonis n'en croyait pas ses oreilles ! Cette fois, il venait d'apprendre que Tcha faisait également partie des traîtres. L'adolescent voulut se précipiter dans la pièce. Toutefois, en songeant au fait que les jumelles étaient d'excellentes combattantes, il eut un moment d'hésitation. Si elles étaient armées, il courait un grand risque. La fureur l'emporta cependant sur la prudence. Il entra dans le quartier des femmes en affichant un visage hostile. Les jumelles sursautèrent en le voyant. La crainte se lisait sur leurs adorables figures. Au mépris de sa cheville douloureuse, Leonis fit quelques pas décidés dans leur direction. Puis, soudainement, il s'immobilisa. Pour la première fois depuis son retour, ses traits s'illuminèrent de joie. Devant ses servantes pétrifiées d'étonnement, l'enfant-lion éclata d'un rire sonore.

10
UN NOUVEAU COMPAGNON

Leonis s'était écroulé sur les nattes qui recouvraient le sol. Il riait en se tenant les côtes. Raya s'était approchée de lui. L'hilarité de l'enfant-lion la laissait perplexe. Mérit, quant à elle, tentait de retenir le chiot couleur de sable qui se tortillait sur ses genoux. Le petit chien parvint à s'échapper et, en glapissant, il courut vers Leonis. Sa queue mince fouettait l'air. Raya exécuta un mouvement vif pour essayer de l'attraper, mais le chiot déjoua son geste. Il se jeta sur l'adolescent et commença à lui lécher la figure avec frénésie.

Le sauveur de l'Empire reprit son souffle. Il s'assit et caressa le petit animal qui grognait comiquement en s'acharnant sur un bout de sa tunique. Leonis leva les yeux. Mérit se tenait maintenant à quelques pas de lui. Elle semblait désemparée. D'une voix suppliante, elle assura:

— Je peux tout t'expliquer, Leonis. Raya n'est pas responsable. Il y a deux semaines, j'ai secrètement fait entrer ce petit chien dans la maison. Je sais que je n'avais pas le droit d'agir ainsi, mais...

— De toute manière, coupa Raya, ma sœur était sur le point de se débarrasser de lui. J'étais sûre que ça finirait par se savoir! Nous implorons ta clémence, Leonis. Si tu ne nous avais pas surprises, tu n'aurais jamais entendu parler de cet animal.

— Heureusement que je vous ai surprises, rétorqua l'enfant-lion. Vous vous apprêtiez à empoisonner ce pauvre chiot!

— Tu as donc épié notre discussion? questionna Raya.

— Oui, avoua le garçon. N'ayez crainte. Je n'ai pas l'habitude d'écouter aux portes. Je venais vous visiter et j'ai tendu l'oreille afin d'être certain de ne pas intercepter un entretien qui n'aurait concerné que vous. Vos paroles ont tout de suite piqué ma curiosité. En entendant votre discussion, j'ai failli m'enfuir pour ameuter les soldats de la garde royale.

— Allons! s'exclama Mérit en sourcillant. On ne fait pas venir la garde royale pour un malheureux petit chien!

— Il ne s'agit pas du chien, dit Leonis, en se levant. Pendant un instant, mes chères amies, je vous ai prises pour des adoratrices du grand serpent Apophis. Raya a dit qu'il était temps d'agir. Elle a parlé d'un secret qui ne devait pas être découvert. J'ai cru que vous deviez me tuer pour obéir à votre maître ! J'étais sûr que vous vouliez m'empoisonner et m'enterrer dans les jardins où Tcha avait déjà creusé ma tombe ! Avant que j'entre dans cette pièce, Raya a même dit : « Nous avions pensé qu'il ne reviendrait pas, mais il est revenu, ce misérable chien. » Il faudra m'expliquer cette dernière phrase, mes amies. Avouez que, puisque je reviens moi-même d'un endroit duquel j'aurais très bien pu ne jamais revenir, il n'est pas étonnant que j'aie songé que ces paroles me concernaient. J'ai cru que vous étiez des traîtresses, les filles ! Pendant un moment, j'ai eu la pénible assurance d'avoir démasqué le sordide espion qui hante le palais royal !

Les jumelles échangèrent un regard indigné. Elles mirent un peu de temps avant d'embrasser la situation. Lorsqu'elles comprirent enfin la méprise qu'elles avaient causée en s'entretenant du sort du malheureux chiot, leurs lèvres dessinèrent le même sourire timide. Mérit braqua des yeux déconcertés sur l'enfant-lion. D'une voix incertaine, elle déclara :

— Ta confusion est facile à comprendre, Leonis. Je suis désolée d'avoir provoqué cette situation. Tout cela est de ma faute. Raya m'avait avertie des risques que je courais en introduisant cette petite bête dans la demeure.

— Où as-tu déniché ce petit chien, ma douce Mérit? demanda Leonis en prenant l'animal dans ses bras.

— Comme je l'ai dit tout à l'heure, je l'ai recueilli il y a deux semaines. J'ai aperçu ce pauvre chiot au marché de Memphis. Au premier regard, j'ai cru qu'il était mort. Il était couché au milieu de la place et il ne bougeait pas. Les gens l'enjambaient ou le contournaient sans lui accorder beaucoup d'attention. Je me suis approchée de lui et j'ai remarqué qu'il respirait faiblement… Je ne pouvais pas l'abandonner à cet endroit, Leonis. Mon premier désir était de le déposer dans un coin où il ne risquerait pas de se faire marcher dessus. Quand je l'ai pris dans mes bras, il m'a jeté un regard plein d'espérance… Ma sœur s'est moquée de moi au moment où je lui ai dit que ce chiot m'avait supplié, avec ses yeux tristes, de l'emporter à la maison. Je le cachais depuis quatre jours lorsque Raya s'est rendu compte de sa présence. Elle a été très fâchée contre moi. Elle m'a expliqué que je ne pouvais garder ce petit chien. Bien sûr, elle avait raison. Cette demeure n'est pas la nôtre. Je me suis comportée en sotte en agissant à l'insu de mon maître. Pour une servante de ma qualité, ce geste est injustifiable…

— Mérit est une gentille fille, Leonis, s'interposa Raya. Lorsque je lui ai expliqué qu'elle devait se débarrasser de cette bête, elle a accepté de le faire sans trop rechigner. Elle m'a cependant convaincue qu'il fallait d'abord que le petit chien reprenne des forces. Il y a trois jours, elle a compris qu'elle ne pouvait attendre plus longtemps. Elle a mis le chiot dans un panier et elle l'a abandonné dans une ruelle de la capitale. Le même soir, le petit effronté est revenu ! Il est passé devant le poste de garde sans être vu par les soldats. Il a traversé les jardins, s'est infiltré dans la maison et il est allé rejoindre Mérit sur sa couche. Après le retour de son protégé, ma sœur n'a plus eu l'intention de s'en séparer. Elle refusait de renoncer à un compagnon aussi rusé et aussi fidèle. Lorsque tu as surpris notre conversation, Leonis, je tentais de lui faire comprendre le bon sens. Si Mérit avait continué à s'entêter, je m'apprêtais à faire disparaître ce chien moi-même. Je l'aime autant que ma sœur peut l'aimer. Nous devons toutefois nous conformer à des règles qui nous interdisent certaines joies.

L'enfant-lion contemplait le petit chien. Il avait écouté le discours des servantes sans leur accorder un seul regard. Le chiot était couché dans le creux de son bras gauche et, les yeux mi-clos, il se délectait des caresses de l'adolescent qui faisait jouer ses doigts sur son ventre rose. Quand Raya eut achevé son allocution, Leonis laissa planer un silence. Il déposa le chiot sur un coussin avant de prendre la parole:

— Vous avez craint ma colère. Comment est-ce encore possible? Vous savez pourtant que je ne suis pas réellement votre maître. Je suis votre ami, les filles. S'il y a une chose qui m'agace dans cette histoire de chien, c'est d'apprendre que vous doutez toujours de mon affection. Comment pourrais-je en vouloir à Mérit d'avoir introduit cette malheureuse bête dans ma demeure? S'il s'agissait d'un hippopotame, je crois qu'une petite conversation serait nécessaire. Mais, ce n'est qu'un chiot, par Bastet! Un pauvre petit chien qui était sur le point de mourir empoisonné parce que vous avez cru que je ne pourrais pas tolérer sa présence! Tout à l'heure, Raya, ta sœur Mérit avait bien raison lorsqu'elle te disait que j'étais gentil. À la cour de Pharaon, on vous a enseigné à devenir d'incomparables domestiques. Seulement, vous êtes tombées sur un maître qui vous apprécierait également si vous étiez les pires servantes d'Égypte. Mon désir serait de pouvoir vous offrir autant de bienfaits que ceux que vous m'offrez chaque jour. Cette drôle de situation, si elle m'irrite un peu, me donne au moins la chance de vous remercier. Tu vas vite aller retrouver Tcha, ma tendre Raya. Tu vas lui dire qu'il peut remplir le trou qu'il a creusé pour notre nouvel ami. Mérit pourra le garder, son chiot.

Après cette annonce, Mérit se précipita sur Leonis. Elle se jeta dans ses bras et lui cribla les joues de baisers. Le petit chien se rua sur eux. Il se mit à leur tourner autour en bondissant et en lâchant une suite sans fin de jappements aigus. À sa manière, l'animal semblait remercier le sauveur de l'Empire.

Leonis était couché depuis une heure. La nuit était déjà fort avancée, mais il ne parvenait pas à trouver le sommeil. Évidemment, le sort de Tati le préoccupait au plus haut point. Les jumelles avaient été consternées par la nouvelle. Comprenant la gravité de la situation, Raya et Mérit n'avaient guère tenté de consoler Leonis en l'abreuvant de paroles d'encouragement. Ces mots auraient été vides de sens. Tati était en danger. Personne ne pouvait le nier. Les jeunes servantes s'étaient contentées d'écouter le sauveur de l'Empire en partageant sa peine et ses opinions sur la déplorable inefficacité des envoyés de Mykérinos.

Quand Leonis avait quitté le quartier des femmes, Montu et Menna s'affairaient dans la salle principale. Ils procédaient à l'inventaire de l'équipement qu'ils avaient utilisé lors de leur dernière aventure. Des soldats s'étaient rendus chez le père de Menna pour y prendre le matériel que les trois héros avaient laissé dans la barque. Dans la soirée, le commandant Neferothep était venu déposer tout ce bagage dans le hall de la maison de Leonis. L'enfant-lion n'avait pas envie de vérifier si rien ne manquait au contenu de son sac. Il n'y avait rien d'important à l'intérieur. Le garçon s'était nonchalamment emparé de ses choses et, après avoir salué ses compagnons, il avait gagné sa chambre. En jetant son sac dans un coin, Leonis s'était souvenu de la poupée qui se trouvait à l'intérieur. Il avait trouvé cette poupée dans l'après-midi précédant son arrivée. Elle flottait sur le Nil et, en la repêchant, le garçon avait songé qu'il venait de découvrir un merveilleux cadeau de bienvenue pour sa petite sœur. À cet instant, il avait eu la conviction qu'il reverrait bientôt Tati. Il l'espérait de tout son cœur. Ce souhait n'avait malheureusement pas été exaucé. Le bonheur escompté s'était plutôt mué en une intolérable douleur.

Dans l'intimité de sa chambre, Leonis avait extirpé la poupée de son sac. Il avait longuement observé la figure de bois peint de la figurine. Elle avait une bouche en forme de cœur et de longs cheveux noirs. Sa robe blanche était encore humide et elle sentait le limon. L'adolescent avait délicatement déposé l'objet sur une table. Ensuite, l'esprit chargé de sombres sentiments, il avait éteint sa lampe et s'était glissé dans son lit.

Le sommeil ne venait toujours pas. Leonis faisait de son mieux pour chasser les pensées qui le hantaient. Il se concentra sur le grésillement ininterrompu des grillons qui s'en donnaient à cœur joie dans l'herbe grasse de l'enceinte du palais. Au moment où il sentit enfin la torpeur l'envelopper, un raclement se fit entendre dans la chambre. Leonis se dressa sur son séant et il scruta les ténèbres pour tenter de déterminer la provenance de ce bruit. Avec étonnement, il constata que, juste à côté de la fenêtre, un passage venait de s'ouvrir dans le mur. Leonis fixait l'orifice avec appréhension. Cette porte avait une apparence tout à fait normale. Cependant, elle n'était pas censée se trouver là. De plus, l'enfant-lion connaissait bien les lieux. Assez pour convenir que, si on avait pratiqué une issue à cet endroit précis de la cloison, cette ouverture aurait immanquablement conduit dans les jardins. Seulement, au mépris de toute logique, la porte, qui venait soudainement de se révéler dans le pan de briques crues de la pièce, donnait sur un long couloir faiblement éclairé par une lueur dansante. Leonis entendit des murmures dans le mystérieux passage. Des ombres apparurent et il reconnut presque aussitôt les trois personnages bien particuliers qui se dirigeaient vers lui.

Dans le halo prodigué par une lampe que transportait l'un d'eux, les Paneb[5] pénétrèrent dans la chambre de l'enfant-lion. Il s'agissait de trois nains hideux et parfaitement identiques. Leur peau était blême comme du lait et leurs crânes aplatis étaient parsemés de quelques mèches éparses de cheveux blancs. Ils avaient des figures grotesques et striées de rides creuses; des traits propices à provoquer la terreur ou à déclencher le rire. Leurs yeux rouges et troublants brillaient derrière des paupières rosâtres, plissées et boursouflées. Les Paneb possédaient tous le même nez proéminent qui saillait tel un bec d'oiseau. Leonis avait déjà rencontré ces affreux personnages dans une chapelle en ruine située près de Bouto. Étrangement, les nains s'appelaient Paneb, Paneb et Paneb. Sans doute parvenaient-ils à

VOIR *LEONIS TOME 1, LE TALISMAN DES PHARAONS.*

se différencier entre eux, mais pour l'enfant-lion, ils étaient en tout point identiques.

Les nouveaux venus s'approchèrent de Leonis qui demeurait pétrifié d'ahurissement. Ils souriaient, dévoilant ainsi leurs affreuses bouches édentées. Celui qui menait la marche lança d'une voix rauque et nasillarde :

— Tu es toujours aussi laid, mon pauvre garçon !

— C'est vrai qu'il est laid, approuva celui qui tenait la lampe.

— Il ferait peur à un chacal, conclut le troisième.

— Que… que me voulez-vous ? demanda enfin l'adolescent en s'assoyant sur le bord de son lit. Je rêve, n'est-ce pas ? C'est un mirage. J'en suis sûr. Vous n'êtes pas ici en ce moment et le passage qui s'est ouvert dans le mur n'est pas réel.

— Vous entendez, les gars ? lança un Paneb en ricanant. Le sauveur de l'Empire n'est pas convaincu que nous sommes là.

— Il faudrait peut-être le pincer, proposa l'un de ses frères.

— Ce serait une erreur, objecta le dernier. En le pinçant, nous risquerions trop d'abîmer sa peau de jeune fille.

Les Paneb s'esclaffèrent. D'un mouvement prompt, l'enfant-lion saisit l'un d'eux par le col de sa tunique. Le nain essaya en vain de se dégager de la poigne ferme qui le retenait. Ses mains osseuses se refermèrent sur l'avant-bras du garçon qui éprouva le contact répugnant d'une chair froide et moite. Les autres Paneb n'intervinrent pas. Ils exhalèrent quelques gémissements apeurés. Leonis approcha son visage de celui du captif. Sur un ton belliqueux, il cracha :

— Je veux savoir ce que vous me voulez, ridicules petits monstres ! Je n'ai pas envie de rire, ce soir ! Dites-moi ce que vous êtes venus faire dans ma maison !

— Il faut… d'abord… me… lâcher, balbutia le Paneb que Leonis retenait.

L'enfant-lion libéra le nain. Ce dernier rectifia, avec une affectation cocasse, l'encolure froissée de sa tunique. En affichant un air outré, il dit :

— Monsieur Leonis est susceptible, les gars.

Comme d'habitude, les autres ne purent se retenir d'enchaîner :

— Il est un grand seigneur, maintenant.

— On ne rigole pas avec le sauveur de l'Empire.

Leonis jeta un soupir exaspéré. Le Paneb qu'il avait agrippé désigna le mystérieux passage d'un geste de la main.

— La déesse Bastet vous attend de l'autre côté de ce couloir, noble et courageux seigneur qui malmène sans remords de frêles et adorables créatures beaucoup plus petites que lui.

L'adolescent se garda de répliquer. Escorté par le rébarbatif trio, il s'engagea dans le passage étroit en sachant bien que celui-ci ne pouvait être réel. Tout cela n'était qu'illusion. Il ne s'agissait que d'un prodige de plus parmi les phénomènes auxquels il avait assisté depuis le début de sa quête. Le sauveur de l'Empire ne sursauta pas lorsque, dans son dos, le mur se referma.

Le corridor n'était pas très long. Arrivé à son extrémité, Leonis se retrouva face à un mur. De toute évidence, ce passage n'avait pas d'issue. Un Paneb s'approcha de la cloison. Il toucha la pierre de sa main livide et la paroi se nappa d'une lueur vive et bleutée. Le nain pénétra dans la lumière et Leonis le vit disparaître.

— Il faut le suivre, annonça l'un des affreux triplets.

Sans hésiter, l'enfant-lion s'engouffra à son tour dans le flamboiement cérulescent. La clarté était si intense qu'il dut fermer les yeux. Ses mains balayant le vide, il fit quelques pas dans le halo surnaturel qui parvenait à traverser le voile de ses paupières. Il avança ainsi durant quelques secondes. La lumière, d'un seul coup, devint moins violente. Leonis fut alors assailli par un froid insupportable. Il eut la désagréable sensation que ses pieds nus baignaient dans une eau glaciale. Il ouvrit les yeux et son regard embrassa un paysage stérile et plat comme une dalle. La terre était d'une pâleur étrange sous un ciel lourd et gris qui laissait à peine pénétrer les rayons du soleil. Dans cet air qui lui brûlait les poumons, chacun des souffles de l'adolescent produisait un nuage de vapeur. Leonis regarda ses pieds qui s'enfonçaient légèrement dans une mystérieuse poudre blanche.

11
DÉSOLATION

La déesse Bastet se dressait à dix longueurs d'homme de l'enfant-lion. Elle scrutait l'horizon et elle ne semblait pas avoir conscience de la présence de son protégé. Les Paneb entourèrent Leonis qui tremblait comme le roseau dans ce froid impossible à concevoir. Les nains n'étaient visiblement pas incommodés par le climat. Ils observaient le garçon d'un même coup d'œil rempli de malice.

— Où… où… suis-je ? questionna Leonis en claquant des dents et en protégeant son torse dénudé sous ses bras repliés.

— Tu es juste là ! s'écria l'un des Paneb en le pointant du doigt.

— La véritable question que tu devrais te poser est : quand suis-je ? glissa un autre.

— La déesse-chat pourra répondre à tes questions, déclara le troisième avorton. Elle est ta protectrice, après tout. D'ailleurs, je me demande bien ce qui la pousse à s'intéresser à toi.

Les dernières paroles du nain ne furent entendues que par ses frères. Leonis avait délaissé les Paneb pour se diriger vers Bastet. Ses pieds commençaient à le faire souffrir. La déesse portait une robe légère, blanche et brodée de fil d'or. Ses longs cheveux noirs flottaient dans le vent faible. Ses bras étaient nus, mais à l'instar des disgracieux nabots, elle semblait insensible au froid ambiant. Quand l'enfant-lion fut près d'elle, elle tourna lentement son splendide et noble visage vers lui. Malgré ses tourments, le garçon fut encore une fois fasciné par les yeux particuliers de Bastet. Ses iris avaient la couleur du miel et ses pupilles étaient fines comme celles des félins. La déesse ébaucha un sourire indéfinissable avant de dire, de sa voix suave :

— Bienvenue, enfant-lion. Tu es loin du confort de ton lit, n'est-ce pas ?

Leonis se laissa choir sur le sol blanc et poudreux. Il saisit l'un de ses pieds entre ses mains pour tenter de le préserver des dards cruels du froid. Les mâchoires animées par un tremblement incontrôlable, il interrogea :

— Où... su... où suis... suis-je ? Pour... pourquoi... il... il fait... si... froid ?

— Ce froid est terrible, en effet, déclara Bastet. Il peut tuer un homme en quelques minutes. Je voulais que tu l'éprouves, brave Leonis. Maintenant que tu as senti sur ta peau la morsure d'un monde dépourvu de soleil, je peux t'en préserver.

La déesse-chat tendit son bras gauche pour poser sa main sur la tête de son protégé. Une chaleur bienfaisante envahit aussitôt le corps du sauveur de l'Empire. Leonis se redressa. Ses pieds demeuraient engourdis, mais il avait maintenant l'impression de fouler un sol de sable tiède. Son corps cessa de grelotter et il poussa un soupir de soulagement qui n'engendra aucune volute de buée. Pourtant, le paysage restait le même. Le froid ne pouvait s'être dissipé aussi rapidement. Leonis comprit que Bastet venait de déployer autour de lui une protection impalpable et invisible qui l'isolait de ce monde hostile. Ses lèvres tremblaient encore, mais il parla sans bégayer :

— À quel endroit sommes-nous, déesse-chat ?

— Nous sommes à l'emplacement précis des jardins du palais royal de Memphis, Leonis.

L'enfant-lion fut décontenancé par cette réplique. Il jeta un rire nerveux et se gratta la tête.

— Tu ne dois pas rire, continua Bastet. Nous sommes bel et bien en Égypte, enfant-lion. Je t'ai convoqué dans le futur afin de te montrer ce qui arrivera si tu refuses d'accomplir ta mission. Les vestiges de l'Empire sont enfouis très profondément sous nos pieds. Dans cette variante du destin, une année sépare cet instant du jour où s'est produit le grand cataclysme.

Leonis sentit ses jambes faiblir. Rien n'évoquait le royaume d'Égypte dans ce paysage de mort. Il savait que la déesse-chat ne plaisantait pas. Toutefois, il avait du mal à admettre ce qu'il voyait, ou plutôt ce qu'il ne voyait plus. D'une voix chevrotante, il s'écria, en tournant la tête dans toutes les directions :

— Où est le grand fleuve ? Où est le désert ? D'où viennent ce froid qui brûle et cette étrange poussière blanche ? Il n'y a rien de l'Égypte ici ! Aucun cataclysme ne pourrait effacer aussi parfaitement un royaume comme celui des Deux-Terres !

— La colère de mon père Rê doit venir du ciel, enfant-lion. Si l'offrande suprême n'est pas livrée à temps, une pierre immense comme une montagne tombera dans le désert de l'occident. Le choc sera tel que la terre se fendillera. Le sol tremblera et les pyramides s'affaisseront. Des vents de sable souffleront pendant des semaines. Le Nil sera enseveli et les falaises s'écraseront dans la vallée. Le feu jaillira des entrailles du monde. La fumée, la cendre et la poussière obscurciront totalement le dôme céleste. Des nuées d'orage suivront les vents pour venir se mêler à la suie souillant le ciel. Pendant des mois, le dieu-soleil ne réchauffera plus le monde et la neige tombera sur l'Égypte dévastée.

— La... neige? Qu'est-ce que c'est, déesse-chat?

— La neige, Leonis, c'est ce tapis poudreux, blanc et très froid que tu as sous les pieds. Tu seras l'unique habitant de l'Empire à connaître l'existence d'un tel phénomène, car, si jamais la neige tombait sur l'Égypte, le peuple ne serait plus là pour la voir.

— La terre des rois d'Égypte deviendrait donc un désert blanc pour toujours?

— Non, mon garçon. Comme je te l'ai dit, nous évoluons actuellement dans une tranche du temps qui se déroulera un an après le grand cataclysme. Si ce dernier se produisait, bien sûr. Tu peux voir que le ciel a déjà commencé à s'éclaircir. Au bout de quelques années de grisaille, il redeviendra aussi limpide qu'avant. Le soleil fera fondre la neige et la chaleur torride reprendra ses droits. Malheureusement, dans la vallée où les rois d'Égypte ont érigé leur royaume, la vie ne sera plus possible. Le pays où tu es né est un don du grand fleuve. C'est lui qui pourvoit le limon nourrissant le sol ainsi que l'eau qui l'abreuve. Après les déchaînements de la colère de Rê, le Nil ne pourra reprendre son cours vers le nord. Il sera retenu en Nubie et il inondera les terres du sud. Ici, il ne restera plus que le sable du désert. La glorieuse Égypte sera devenue un territoire infertile et inhospitalier qui appartiendra éternellement au dieu Seth.

Leonis avait la gorge nouée. Dans un murmure, il demanda:

— Comment Rê peut-il être aussi insensible aux beautés du monde? Comment pourrait-il abandonner la merveilleuse Égypte au profit de Seth?

— Nous ne sommes pas ici pour étudier les décisions du dieu-soleil, enfant-lion. Je t'ai convoqué pour que tu puisses te rendre compte du résultat qu'entraînerait l'abandon de ta mission. Ce soir, tu as exprimé ta révolte en t'adressant à mon père. Tu doutes désormais de l'importance de la quête des douze joyaux. Tu prétends que seuls les cœurs impurs seront vraiment punis lors de la fin des fins. Tu crois que les justes connaîtront l'allégresse en atteignant le sublime royaume des Morts. Mais tu as tort, Leonis. Si le cataclysme survenait, il n'y aurait plus personne pour pratiquer les cérémonies. Les rituels sont primordiaux. Sans eux, les défunts ne pourraient emprunter les allées du Monde inférieur pour rejoindre la salle du tribunal des Morts. Les bons et les mauvais ne seraient pas jugés et leurs âmes seraient condamnées aux ténèbres perpétuelles.

L'enfant-lion promena son regard sur la plaine glacée. Une énorme lassitude s'empara de lui. Ce monde désolé était la conséquence de la capitulation du sauveur de l'Empire. Leonis se sentait beaucoup trop petit pour endosser la responsabilité d'un tel gâchis. Il éprouva le sentiment oppressant qu'un fléau semblable ne pouvait être conjuré par un être humain. Autant demander à une fourmi d'arrêter le sabot d'un bœuf sur le point de fouler l'entrée de sa fourmilière ! L'enfant-lion secoua la tête avec violence. Son être entier se rebellait devant l'ampleur de sa tâche. S'il poursuivait sa quête avec la meilleure des volontés, il risquait tout de même d'échouer. Il n'avait retrouvé que trois joyaux parmi les douze qui devaient constituer l'offrande suprême. Si, au mépris de ses efforts, il n'en retrouvait qu'onze, l'Égypte deviendrait ce monde cauchemardesque qui s'étalait devant ses yeux. Découragé, écrasé et incrédule, Leonis protesta avec force :

— C'est injuste, déesse-chat ! Des milliers d'hommes sont menacés ! Pour quelle raison fallait-il qu'on me choisisse pour accomplir cette mission ? Je n'ai pas offensé le dieu-soleil ! C'est Pharaon qui a mal agi ! Pourquoi Rê ne condamne-t-il pas Mykérinos au lieu de détruire le monde ? Vous m'avez convoqué pour me faire voir ce que deviendrait l'Égypte si j'abandonnais ma quête ! Vous me dites : « Regarde, Leonis. En ce moment, tu as devant les yeux le résultat de ta lâcheté ! »

Leonis pleurait de rage. Le regard d'ambre de la déesse-chat était posé sur lui. Son beau visage demeurait impassible. L'enfant-lion respira profondément. Il s'essuya les yeux avant de reprendre, sur un ton plus calme :

— Je ne suis qu'un être humain, déesse Bastet. Ma vie n'a pas été des plus faciles. Mes parents sont morts, j'ai été vendu comme esclave et on m'a séparé de ma petite sœur. Je me suis évadé et on m'a annoncé que j'étais le sauveur de l'Empire. J'ai affronté bien des dangers depuis le début de ma quête. Mais, comme si cette quête n'était pas déjà suffisamment pénible, je dois aussi me méfier des adorateurs d'Apophis qui cherchent à me tuer. Ce soir, j'ai appris que ma sœur était probablement leur prisonnière. N'aurais-je pas mérité de la retrouver ? N'aie-je pas accompli assez d'exploits pour avoir droit à ce plaisir? Ne pouvez-vous pas me dire, déesse Bastet, à quel endroit se trouve ma petite Tati?

— Je ne le peux pas, Leonis. Tati fait partie de ta vie d'homme. Je n'ai guère le droit d'influencer le déroulement des épreuves qui concernent l'existence d'un être humain. Je peux influer sur ce qu'il y a de divin en toi. Je peux m'adresser à l'enfant-lion, mais pas à Leonis le mortel. Si je t'aidais à retrouver Tati, j'interviendrais également dans la destinée de ta sœur. Elle n'est qu'une simple mortelle. Sa vie doit suivre son cours et, si tu dois la retrouver, tu la retrouveras lorsque le moment sera venu.

— Si je n'étais pas le sauveur de l'Empire, les adorateurs d'Apophis n'auraient pas enlevé ma petite sœur. J'ai été désigné par Rê pour livrer l'offrande suprême. Ne me dites pas que les dieux n'influencent pas ma vie d'homme.

— Tu as choisi ce destin, Leonis. Un homme peut bien naître avec les habiletés du scribe. Toutefois, cela ne veut pas dire qu'il le deviendra. Tout dépendra des choix que cet individu fera au cours de sa vie. Son entourage pourra sans doute l'influencer, mais les dieux ne le feront pas. Rê t'a désigné, mais il ne s'est jamais révélé à toi pour t'annoncer que tu étais le seul être à pouvoir sauver l'empire d'Égypte.

Le dieu-soleil a simplement fait savoir aux hommes que tu étais l'élu. Il fallait que les mortels s'efforcent de comprendre les signes qu'il leur envoyait. Ils l'ont fait. Par la suite, il ne leur a pas désigné l'endroit où ils pouvaient te trouver. Ils t'ont cherché pendant trois ans et, si tu n'avais pas changé ta destinée en t'évadant du chantier du palais d'Esa, ils ne t'auraient probablement jamais repéré. Aucun dieu ne t'a poussé à t'évader. Tu as décidé par toi-même que le temps était venu de le faire. Ce geste t'a conduit chez un prêtre qui a reconnu en toi le sauveur de l'Empire annoncé par l'oracle. Tu étais voué à devenir ce sauveur, enfant-lion, mais il fallait que tes actes d'homme te mènent à la rencontre de ce destin. Il fallait aussi que tu acceptes de devenir ce héros. On t'a parlé de ta mission, mais dis-moi, les divinités t'ont-elles forcé à l'accepter ?

— Non, déesse-chat. Les dieux ne m'y ont pas forcé. Pharaon m'a offert une somptueuse demeure. On m'a vêtu et dorloté comme un prince et Mykérinos m'a assuré que ses envoyés retrouveraient ma petite sœur. Après tout ça, comment pouvais-je refuser la mission que le roi me confiait ? Je n'étais qu'un misérable esclave fugitif et, soudain, on m'offrait tout ce dont je n'avais jamais osé rêver. Les hommes ont bien manœuvré pour que j'accepte d'entreprendre cette quête.

— Ils ont bien agi, mon garçon. Et tu as pris la bonne décision en acceptant ton rôle de sauveur de l'Empire. Je comprends tes souffrances, Leonis. Je comprends aussi tes craintes, car, moi-même, j'ignore encore si tu parviendras à empêcher le grand cataclysme. Peut-être que tes efforts ne mèneront à rien, mais, de tous les hommes, tu es le seul à pouvoir réussir. Je ne peux te guider vers les prochains joyaux. La colère de Rê doit être apaisée par les hommes. Si j'intervenais dans ta quête, Seth pourrait également s'en mêler. La situation deviendrait alors périlleuse.

— Pourtant, vous êtes déjà intervenue, déesse-chat. Vous m'avez guidé lors de ma quête du talisman. Vous m'avez ensuite donné le pouvoir de me transformer en lion. Vous m'invitez à voir ce que sera l'Égypte si j'abandonne ma mission. En ce moment, ne tentez-vous pas de vous mêler de ma quête?

— La quête du talisman s'est déroulée dans un lieu appartenant aux dieux, Leonis. Plusieurs divinités ont été invitées à définir les épreuves que tu aurais à traverser durant ton séjour dans les souterrains. Seth avait son mot à dire et Rê m'avait désignée pour que je te serve de guide. Souviens-toi qu'à la fin de ta mission, je t'ai fait comprendre que tu n'étais pas un mortel comme les autres. Puisque tu es né au moment exact où le soleil entrait dans la constellation du lion, tu as été doté de facultés que tes semblables ne possèdent pas. Le pouvoir que je t'ai accordé à cet instant était déjà en toi. Je n'aurais pas pu te le révéler dans le monde des mortels. Mais, puisque tu te trouvais sur un domaine divin, je pouvais le faire. Seth était furieux. Toutefois, les règles ont été respectées. En t'accordant la possibilité de te transformer en lion, je devenais ta protectrice. Étant donné que tu dois prononcer trois fois mon nom pour que la métamorphose s'opère, un lien doit nous unir. J'utilise ce lien pour m'introduire dans tes songes. À l'instant où je te parle, tu es confortablement couché dans ton lit. En t'invitant ici, j'ai voulu te montrer ce que deviendrait la terre d'Égypte si tu abandonnais ta mission. Je t'ai parlé du grand cataclysme et des âmes qui ne connaîtront jamais leur salut. L'enfant-lion possède la volonté inébranlable de sauver le royaume. Je ne peux guère influencer cet être divin puisqu'il a déjà fait son choix. Mais, ce soir, le mortel Leonis a crié à l'injustice devant la tâche qu'il doit accomplir. Le sauveur de l'Empire a été écrasé sous la peur, le chagrin et la hargne de l'homme. Je ne t'ai pas convoqué dans ce rêve pour t'ordonner de poursuivre ta quête, mon garçon. Je l'ai fait pour libérer l'enfant-lion que tu as enseveli sous le poids de tes émotions de mortel.

— Les adorateurs d'Apophis ont mis la main sur la personne que j'aime le plus au monde, déesse Bastet. Mes sentiments sont justifiés.

— Ta sœur ne court aucun danger, Leonis. Une âme bénéfique veille sur elle. Je tiens à t'assurer que Tati va bien, qu'elle est heureuse et que personne ne lui fera de mal. Au milieu des vautours, elle a rencontré une colombe.

La figure de Leonis s'éclaira. En croisant le regard franc de Bastet, il se rendit compte qu'elle n'avait pas prononcé ces paroles dans le seul but d'apaiser ses craintes. Cette constatation réchauffa son cœur. La déesse-chat lui adressa un sourire maternel. Elle s'approcha de lui et posa ses paumes sur ses épaules pour continuer :

— Je ne te dirai rien de plus à propos de ta sœur, Leonis. En ce qui te concerne, sache que tu possèdes toujours la faculté de te changer en lion. Dans les marais, je n'ai pas répondu à tes appels parce que tu n'étais pas en danger. Tu n'avais guère besoin de devenir lion pour achever ta mission. Après ce refus de ma part, tu as essayé de te transformer à plusieurs reprises. Tu m'as invoquée simplement pour vérifier si tu possédais toujours ton remarquable pouvoir. Je te rappelle que tes motifs doivent être valables pour que je permette ta métamorphose. Tes compagnons ont fait le lien entre le lion blanc et toi. C'est compréhensible. Ils sont près de toi et tu ne pouvais leur cacher infiniment cet attribut particulier de ta personnalité. Bien qu'ils connaissent désormais ton pouvoir, je ne peux néanmoins t'accuser d'avoir provoqué cette situation. Tu pourras donc te métamorphoser de nouveau. Les règles resteront les mêmes, cependant. Si quelqu'un t'observe, même s'il s'agit de l'un de tes braves compagnons, je n'autoriserai pas ta métamorphose. Je demeurerai sourde à chaque invocation qui ne sera pas justifiée. Tu dois maintenant regagner ton lit, enfant-lion. Tu as vu ce que je voulais te révéler.

Leonis regarda une dernière fois le paysage anéanti. Les mains de la déesse quittèrent ses épaules et il eut l'impression de sombrer dans un gouffre. Les ténèbres l'enveloppèrent. Le cœur battant et le souffle court, le sauveur de l'Empire s'éveilla en sursaut dans le doux confort de sa chambre.

12
LE VAUTOUR ET LA COLOMBE

Par la fenêtre du quartier des femmes, Tati observait les jardins. Ce matin-là, Khnoumit lui avait interdit de quitter la maison. La fillette n'avait pas posé de questions. Elle avait été médusée par la beauté de Khnoumit qui revêtait une magnifique robe cousue de perles. Ses cheveux étaient savamment bouclés et une délicate couronne ceignait sa tête. L'ouvrage, habilement façonné dans l'or, représentait un serpent. Tati avait cependant remarqué une lueur d'inquiétude dans les yeux fardés de noir de la femme. Khnoumit avait furtivement embrassé Tati. Elle lui avait ensuite demandé de demeurer bien sage en attendant qu'elle revienne. La sœur de Leonis n'était pas seule dans le quartier des femmes. Ahouri, la vieille et gentille servante de Khnoumit, était restée pour veiller sur elle.

En ce moment, il se passait des choses étranges à l'extérieur de la demeure. Tous les hommes du domaine s'étaient réunis à proximité de l'entrée. Depuis qu'elle habitait dans cette grande maison, Tati avait maintes fois remarqué des gardiens armés sur la propriété. Mais, ce jour-là, les gardes étaient plus nombreux que d'habitude. Même les jardiniers et les serviteurs étaient munis de lances. Il y eut du mouvement au cœur du groupe qui se trouvait devant le porche. Avec empressement, les hommes formèrent des rangs compacts de chaque côté de l'accès. Tati vit Khnoumit se diriger d'un pas noble vers ce rassemblement. Monsieur Hapsout l'accompagnait. La belle dame et le jeune homme s'immobilisèrent au centre de l'allée. Ils regardaient en direction du porche extérieur. Visiblement, ils attendaient quelqu'un.

Le visiteur ne tarda pas à se montrer. Un homme d'apparence misérable s'engagea entre les haies humaines. Sa tunique était grisâtre et son visage disparaissait dans l'ombre d'un ample capuchon. L'individu allait pieds nus et s'appuyait sur un bâton. En franchissant le porche, il avait le dos courbé. Toutefois, après avoir fait quelques pas à l'intérieur de l'enceinte, il adopta une nouvelle posture qui révéla sa haute taille. Derrière lui, les rangs se refermèrent comme les eaux après le passage d'une barque. Le nouveau venu laissa tomber son bâton. Il s'arrêta à quelques coudées de Khnoumit et retira son capuchon. Pour la première fois, Tati vit le visage de Baka. Le maître des adorateurs d'Apophis observa sa sœur avec ravissement. Il ouvrit les bras et Khnoumit le rejoignit. Ils s'enlacèrent devant les regards respectueux de ceux qui se trouvaient là.

Tati leva les yeux sur Ahouri qui venait de se joindre à elle. Avec un sourire espiègle, elle questionna la vieille servante.

— Qui est cet homme, Ahouri ? Est-ce l'amoureux de Khnoumit ?

Sur un ton craintif, la dame répondit :

— Non, ma petite. Cet homme est… Il est le frère de Khnoumit.

— Que se passe-t-il, Ahouri ? On dirait que tu as peur de ce monsieur. Il a l'air gentil, pourtant.

La servante ne dit rien et s'éloigna de Tati. Dans son désir de ne rien manquer, la fillette avait reporté son attention sur la scène se déroulant à l'extérieur. Ahouri serra fortement le scarabée de turquoise qu'elle tenait dans son poing. D'une voix presque inaudible, elle fit :

— Protège ceux qui te vénèrent, Rê.

Dehors, Baka salua Hapsout qui inclina le buste avec emphase. Cette courbette exagérée provoqua le rire de Tati. En glissant une main dans celle de son frère, Khnoumit désigna l'allée conduisant à la demeure.

Après s'être restauré et lavé, le maître des adorateurs d'Apophis avait enfilé des vêtements seyant mieux à sa condition de seigneur. Il était maintenant habillé d'une tunique sombre arborant le symbole des ennemis de la lumière : un serpent étouffant le soleil dans ses anneaux. Un némès noir sillonné de rayures rouges le coiffait. Sur sa poitrine brillait un large collier d'or orné de grenats et de lapis-lazulis. Lorsque Hapsout passa la porte de la riche pièce dans laquelle logeait Baka, ce dernier, d'un seul geste, congédia les servantes qui s'affairaient autour de lui. Les jeunes filles se hâtèrent de quitter les lieux. Le maître invita le jeune adorateur d'Apophis à venir s'asseoir auprès de lui. Hapsout obtempéra et, en s'efforçant de garder un visage impavide, il attendit que Baka prît la parole. Le chef des ennemis de l'Empire l'observa durant un long moment. Un obscur sourire animait son visage impérial. De sa voix grave et modulée, il parla enfin :

— J'ai devant les yeux un brillant serviteur, Hapsout. La première fois que je t'ai vu, j'ai mésestimé ton adresse. L'acte que tu viens d'accomplir pour les adorateurs du grand serpent représente un exploit plus qu'appréciable. La sœur du sauveur de l'Empire est désormais notre prisonnière. Avec une escorte de deux hommes, tu as su devancer les troupes de mon cousin Mykérinos. Hay et Amennakhté m'ont confié qu'un sorcier vous a indiqué l'endroit où besognait la fillette.

Hapsout baissa légèrement les yeux. Il passa ses doigts sur son crâne rasé, se racla la gorge et, un peu sur la défensive, il dit :

— Ce sorcier s'appelle Merab, maître Baka. Il habite un tombeau dans les falaises qui bordent la cité de Thèbes. Je n'ai pas hésité à recourir à sa magie. Cet homme a exigé beaucoup d'or en échange de ses services, mais vous m'aviez autorisé à prendre tous les moyens pour retrouver cette misérable.

— En effet, Hapsout. Tu étais libre d'agir à ta guise. Les adorateurs d'Apophis disposent d'assez d'or pour en recouvrir l'arène du Temple des Ténèbres. Je ne conteste pas tes actions. J'aimerais seulement connaître l'endroit où se terre cet habile sorcier. L'apport d'un tel individu pourrait s'avérer profitable dans notre lutte contre l'Empire.

— Malheureusement, répliqua Hapsout, je ne pourrais retrouver cet homme. Nous avions les yeux bandés lorsqu'un gamin nous a menés à lui. Nous avions également le regard voilé quand ce même enfant nous a reconduits au pied des falaises. J'ai essayé de convaincre Merab de se joindre à nous. Il a refusé.

— C'est dommage, fit le maître en se massant le menton. Mais qu'importe, mon cher Hapsout ! Le dépit est inutile puisque ta première tâche a été couronnée de succès ! Je dois maintenant te confier une…

Baka s'interrompit. Khnoumit venait d'apparaître dans l'embrasure de la porte. Le maître posa un regard admiratif sur sa sœur. La belle dame s'avança dans la pièce pour interroger :

— Puis-je te parler, Baka ?

— Bien sûr, Khnoumit ! Viens te joindre à nous !

La femme embrassa son frère et s'assit sur un banc dont les pieds de bois doré étaient sculptés en forme de pattes de lion. Baka eut un sourire ravi. Avec fierté, il s'exclama :

— Regarde cette femme, Hapsout, n'est-elle pas magnifique ? Elle a quarante-sept ans et elle conserve toute la grâce de sa prime jeunesse.

— Oui, répondit le jeune homme en rougissant. Votre sœur est vraiment très belle, maître.

— Merci, Hapsout, dit Khnoumit en s'efforçant de sourire.

Quelque chose la rebutait dans la personne de ce jeune étranger. Il était laid, mais sa laideur n'avait rien à voir avec le fait qu'elle ne l'aimait pas. Khnoumit n'aurait pu dire ce qui provoquait cette antipathie. Elle songeait cependant qu'elle eût préféré saisir un rat à pleine paume plutôt que de serrer la main de ce type. La belle dame regarda son frère qui l'observait d'un air interrogateur. Sans attendre davantage, elle demanda:

— J'aimerais savoir pourquoi tu m'as envoyé la petite Tati, Baka. Pourrais-tu m'exposer les raisons qui t'ont poussé à la libérer de l'esclavage? Que vient-elle faire dans cette demeure?

— Je ne voulais pas t'offusquer, chère sœur. Si cette petite vermine te dérange, je la ferai conduire à notre repaire.

— Elle ne me dérange pas, Baka. Et puis, Tati n'est pas une petite vermine. Dis-moi ce que tu comptes faire d'elle. Je ne comprends pas pourquoi tu as acheté sa liberté. Ce genre de geste ne te ressemble pas.

Le maître des ennemis de la lumière considéra Khnoumit d'un œil amusé.

— Dois-je comprendre que tu éprouves de l'affection pour cette lamentable esclave?

La femme planta son regard dans celui de son frère. Les lèvres frémissantes, elle jeta:

— Les sentiments que j'éprouve ne te regardent pas, Baka. Tu es le maître absolu de ma vie et de tout ce qui l'entoure. Laisse-moi au moins demeurer la maîtresse de mes émotions.

Le maître eut un rire moqueur.

— Tu as toujours été sentimentale, Khnoumit. Sache que la petite Tati est importante pour moi aussi. Seulement, tu as bien raison de croire que je ne l'ai pas libérée pour accomplir un geste gentil. Je compte me servir d'elle contre l'empire d'Égypte.

— Qui est-elle, Baka? soupira la belle dame, avec une teinte d'appréhension dans la voix. Que prévois-tu faire de cette pauvre enfant?

— Elle est la sœur du sauveur de l'Empire, ma chère Khnoumit. Je sais que tu t'intéresses peu à mes projets, mais n'as-tu pas entendu dire que Mykérinos avait trouvé l'enfant-lion annoncé par l'oracle de Bouto?

— J'étais déjà au courant, Baka. Toutefois, comment peux-tu avoir la certitude que Tati est la sœur de ce sauveur de l'Empire? Tati a bien un frère, mais ce garçon a été vendu comme esclave en même temps qu'elle. Le sauveur de l'Empire que l'oracle a annoncé n'est certainement pas un esclave! Le jour de son arrivée, Tati a répété à plusieurs reprises le nom de son frère. Je ne peux me le rappeler, mais le nom qu'elle prononçait était étrange. Il ressemblait à celui d'Osiris, d'Anubis ou…

— Leonis, articula Baka avec un sourire satisfait. Le frère de Tati se nomme Leonis.

Un frisson d'angoisse parcourut le dos de Khnoumit. Son frère venait de lui rafraîchir la mémoire. Bouche bée, elle fixait le maître qui savourait pleinement l'effet provoqué par sa révélation. Hapsout souriait également. Baka poursuivit:

— Le sauveur de l'Empire est bel et bien un ancien esclave, ma chère. C'est grâce à l'Ombre que l'existence de Tati nous a été révélée. Que ferions-nous sans ce brillant espion? Après le message de l'Ombre, j'ai envoyé ce brave Hapsout à la recherche de la fillette. Il a fait ce que j'attendais de lui. La sœur de l'enfant-lion est maintenant notre prisonnière et nous possédons un argument de taille contre nos ennemis.

Tandis que l'homme parlait, la stupeur de Khnoumit s'était transformée en une sourde colère. Elle se leva pour toiser son frère. Une grimace de dégoût déformait ses traits. Sur un ton hargneux, elle proféra, en ponctuant ses mots d'un index rageur:

— Peu m'importe tes horribles projets, Baka! Tu ne toucheras pas à Tati sans regretter ce geste ! Puisque tel est ton désir, cette fillette restera ta prisonnière ! Elle sera captive comme je le suis moi-même depuis trop longtemps ! Seulement, Tati devra demeurer dans cette demeure ! Si tu me l'enlevais ou si elle mourait, sache que je marcherais avec elle dans le royaume des Morts ! J'en ai plus qu'assez de cette existence ! Si Leonis perd sa sœur, tu perdras également la tienne !

La femme semblait soudain avoir vieilli de dix ans. Elle masqua son visage dans ses mains et se précipita vers la sortie. Les dernières paroles de Khnoumit avaient visiblement ébranlé Baka. Elle était la seule personne qui comptait pour lui. Il avait toujours voulu la garder à ses côtés. Il avait refusé sa main à tous les hommes qui l'avaient demandée. D'ailleurs, après avoir osé formuler une telle requête, la plupart de ces prétendants avaient péri. Khnoumit n'avait jamais approuvé les projets de Baka. Elle était l'unique créature de son entourage à pouvoir s'opposer à lui sans subir ses foudres. Elle était cette fragile colombe évoquée par Bastet dans le rêve de l'enfant-lion. Une délicate colombe capable de tenir tête au plus cruel des vautours.

Baka ajusta sa coiffe d'un air distrait. Ses lèvres ébauchèrent un sourire et il tourna les yeux vers Hapsout qui, mal à son aise, jouait nerveusement avec ses mains. Sur un ton jovial, le maître déclara:

— J'adore ma sœur, Hapsout. Elle a vu le jour une année après moi. Ma tendre et douce Khnoumit n'a jamais eu d'enfant. Je peux comprendre qu'elle se soit attachée aussi vite à cette malheureuse. Puisqu'elle y tient, je ne vois aucun mal à lui confier la surveillance de la fillette. Tati ne sortira pas d'ici. Nous avons l'appât qu'il nous faut. Il nous suffit maintenant de convier Leonis à un intime rendez-vous avec la mort. Puis-je te confier cette mission, Hapsout?

— Je l'accomplirai avec joie, mon maître, répondit le fielleux jeune homme. Je n'aurai besoin que d'un scribe pour envoyer une cordiale invitation à l'enfant-lion. Dans peu de temps, le fauve sera dans nos filets.

13
UN ESPION ESPIONNÉ

Montu s'étira en émettant un long bâillement sonore. Il ouvrit les paupières et ses yeux furent aussitôt mis au supplice par la vive lumière du soleil. En s'assoyant sur sa natte, le garçon poussa un grognement. Combien de temps avait-il dormi ? Lorsqu'il s'était étendu sous le dôme luxuriant d'un grand arbre, le soleil, encore à l'est, était complètement masqué par la frondaison. Maintenant, ses rayons dardaient de plein fouet la couche rudimentaire de Montu. Ce dernier se frappa le front. Avec embarras, il marmonna :

— J'ai trop dormi. Les autres doivent m'attendre. Dire que je ne devais faire qu'une toute petite sieste ! Bravo, mon vieux Montu ! Tu crois sans doute qu'en dormant ainsi, tu pourras devenir un habile guerrier ?

Montu roula la mince natte de papyrus qu'il avait déployée sur l'herbe. Quelques heures plus tôt, Menna l'avait convié à un entraînement de javelot qui devait avoir lieu après le repas du midi. Montu avait eu l'idée d'aller se prélasser un moment dans l'ombre des jardins. Mais, de toute évidence, ce moment de repos avait duré plus longtemps que prévu. Non seulement le garçon était-il en retard pour l'entraînement, mais, en plus, il n'avait pas mangé! Montu haussa les épaules et il se leva pour rejoindre ses compagnons. D'où il se trouvait, il pouvait entendre les voix de Menna et de Leonis. Des rires flûtés lui signalèrent que les servantes étaient également à l'extérieur. Le retardataire contourna une chapelle et il put apercevoir ses compagnons. Le jardinier Tcha était assis aux côtés de Raya et de Mérit. Le chiot de Mérit se roulait dans l'herbe. L'enfant-lion s'apprêtait à lancer son javelot. Montu s'immobilisa pour assister à la tentative de son ami. En boitant, Leonis fit trois courtes enjambées pour prendre son élan. Le javelot quitta sa main et fut projeté en ligne droite. Le lancer était habile, mais il manquait de puissance. Sans avoir franchi la distance la séparant de sa cible, l'arme se planta dans le sol. Montu pouffa de rire. Il s'apprêtait à rejoindre Leonis pour se moquer un peu de lui lorsqu'un étrange détail attira son attention.

Au cœur d'un massif de jasmins fleuris, il pouvait apercevoir une silhouette. L'individu portait une tunique sombre. Il était accroupi dans les buissons, non loin du sauveur de l'Empire et de ses camarades. Montu se cacha derrière le tronc large d'un vieux sycomore. Il s'agissait certainement de l'espion du palais royal. L'adolescent hésitait. Devait-il avertir les autres en criant? Les jardins étaient vastes et remplis d'endroits où un fuyard pouvait se terrer. S'il alertait ses compagnons, ce mystérieux personnage aurait la possibilité de s'échapper. Le temps d'organiser une battue, il serait certainement trop tard. Montu songea qu'il valait mieux le surveiller tandis qu'il accomplissait sa basse besogne. En ne sachant pas que quelqu'un l'observait, il ne se méfierait pas et Montu pourrait sans doute apercevoir son visage. Le garçon plissa les yeux pour tenter de détailler l'espion. Sa tête disparaissait derrière les branchages drus et chargés de fleurs blanches des arbustes. Ses mains étaient cependant bien visibles. La droite s'activait par coups brefs et rapides au-dessus d'un petit rectangle pâle. L'ami de Leonis devina que l'individu était en train d'écrire.

Après quelques instants, l'espion glissa ses accessoires de scribe dans un sac qu'il portait à la taille. Il ne rangea toutefois pas son morceau de papyrus. L'encre ne devait pas être sèche. Montu le vit quitter le massif. Il ne put discerner le visage du type qui lui tournait le dos. Cependant, le garçon n'eut aucun mal à le reconnaître. Il s'agissait du scribe Senmout, le détestable administrateur du palais royal. En se courbant pour ne pas être vu de ceux qu'il épiait, l'homme recula avec prudence afin d'emprunter un passage qui s'ouvrait entre deux rangées de haies touffues. Montu quitta sa cachette. La barrière feuillue derrière laquelle Senmout venait de s'éclipser formait une longue enfilade entrecoupée de trouées. Elle longeait l'enceinte des jardins et passait à proximité de l'endroit où se tenait Montu. Sans bruit, le garçon rejoignit les haies. Il tendit l'oreille et perçut un bruit de pas. Senmout marchait dans sa direction.

Le scribe sursauta lorsque Montu franchit le mur de buissons pour surgir à quelques coudées devant lui. L'homme porta la main à son cœur en toisant l'importun d'un regard furieux. Il tenait toujours son bout de papyrus entre ses doigts tremblants.

— Tu m'as fait peur, pitoyable idiot ! jeta-t-il. Désormais, il est impossible de traverser les jardins sans risquer d'y rencontrer un vaurien de ton espèce !

— Je vous ai vu, Senmout ! Vous étiez caché dans les arbustes et vous espionniez mes amis !

— Je ne les espionnais pas, riposta l'homme sur un ton outrecuidant. Je ne faisais que mon inestimable travail. Je dois surveiller tout ce qui se passe dans l'enceinte de ce palais. C'est assez profitable quelquefois. Tout à l'heure, j'ai remarqué que deux servantes de la cour et un jardinier se reposaient au lieu d'accomplir leurs tâches. De surcroît, il y a maintenant un horrible petit chien dans la demeure de l'enfant-lion. Qui nous dit que ce rebutant sac à puce n'est pas enragé ? Pour compléter cette liste d'offenses, tes détestables compères utilisent les jardins pour s'entraîner. Ils finiront par blesser quelqu'un avec leurs armes. Le vizir sera informé de ces infamies. De toute manière, je n'ai guère à me justifier devant un stupide esclave. Cours vite rejoindre tes semblables, petit voyou.

Le scribe leva le nez avec dédain. Considérant sans doute que le sujet était clos, il reprit sa marche et dépassa Montu. L'ami de Leonis lui emboîta le pas en vociférant :

— Je vous ai surpris, scribe Senmout ! Je mettrai mes compagnons au courant. S'ils pensent comme moi, nous serons forcés de supposer que vous êtes ce sale espion qui livre de précieux renseignements aux adorateurs d'Apophis !

Le scribe s'immobilisa. Lentement, il se retourna pour faire face à l'adolescent qui se tenait tout près de lui. Un sourire venimeux étirait les lèvres minces de Senmout. Son regard noir étincelait de haine. En serrant les dents, il lança :

— Il n'y a aucun espion dans l'entourage de Pharaon. Ceux qui le prétendent se trompent. C'est de la folie ! La même folie qui fait dire aux gens que Leonis est le sauveur de l'Empire annoncé par l'oracle de Bouto ! Les dieux n'auraient pas choisi un vulgaire esclave pour accomplir une aussi noble tâche ! L'espion n'existe pas ! Puisque rien ne m'échappe, j'aurais depuis longtemps démasqué ce traître !

— Vous ne pouviez quand même pas vous démasquer vous-même, avança Montu.

Senmout ne put en supporter davantage. Il asséna une puissante gifle à l'insolent. Le garçon perdit l'équilibre et alla choir sur le sol. Stupéfait, il vit l'homme se pencher sur lui. Le scribe le saisit à la gorge pour le maintenir au sol. Montu ne résista pas. D'une voix menaçante, l'assaillant déclara :

— Tu dois comprendre, lamentable ver de terre, que je suis un très important personnage ! Je n'ai qu'un mot à dire pour décider du sort de chacun des domestiques besognant dans l'enceinte de ce palais ! Les soldats de la garde royale me doivent le plus grand respect ! Comparé à moi, le commandant Neferothep n'est qu'un babouin ! Je n'accepterai donc pas les insultes d'un être comme toi ! Tu n'es qu'une créature sans valeur, mon garçon. Tâche de ne pas l'oublier... C'est grotesque ! Les gens de la cour craignent la présence d'un traître dans leur entourage. Pourtant, ils permettent à des vauriens d'habiter une luxueuse maison bâtie dans les jardins du plus vaste palais de Mykérinos. C'est vous que ces gens devraient craindre comme la peste. Vous n'êtes que de petites canailles. Je finirai bien par vous faire expulser de ce vénérable endroit.

L'homme libéra Montu et se redressa. Le garçon soutint son regard en se frottant la joue. Le scribe Senmout laissa échapper un dernier rire méprisant. Ensuite, il tourna les talons pour se diriger d'un pas rapide vers le quartier des domestiques. Cette fois, l'adolescent s'abstint de le suivre.

En voyant Montu marcher vers eux, Menna et Leonis devinèrent tout de suite à ses traits qu'il venait de se produire un incident fâcheux. Sa figure était convulsée par l'animosité et l'humiliation. Sans répondre aux regards interrogateurs de ses compagnons, Montu déploya sa natte de jonc et s'assit près du groupe formé par les servantes et le bossu. L'enfant-lion et le jeune soldat abandonnèrent l'entraînement pour le rejoindre. Montu leur expliqua comment il avait surpris Senmout pendant qu'il les épiait. Même si Tcha ne savait rien de la quête des douze joyaux, Montu n'hésita pas à parler de l'espion devant lui. Il relata ensuite sa pénible rencontre avec le scribe en répétant chaque mot des ignobles paroles que Senmout avait prononcées. Les autres l'écoutèrent avec une surprise grandissante. Lorsque Montu acheva son récit, un silence consterné s'imposa dans le groupe. Ce fut l'enfant-lion qui le brisa :

— Ainsi, quand nous soupçonnions Senmout d'être l'espion, nous n'avions pas tort. En vérité, personne n'est mieux placé que lui pour faire ce sale travail. Ce qui m'étonne, c'est que cet homme n'a jamais rien fait pour dissimuler la haine qu'il éprouve envers moi.

— Senmout n'a jamais été gentil avec personne, dit Raya. Il roucoule comme un pigeon lorsqu'il s'adresse aux femmes, mais les hommes qui sont d'un rang inférieur au sien doivent constamment subir ses injures. S'il avait été gentil avec toi, Leonis, ce comportement aurait été très louche.

— Monsieur Senmout est un vilain homme, intervint Tcha. Monsieur Senmout a toujours été méchant avec Tcha. À cause de monsieur Senmout, Tcha a beaucoup de chagrin aujourd'hui…

Le bossu s'interrompit. Une expression qui pouvait passer pour de la tristesse se dessina dans son affreux visage. Il glissa sa main valide, celle de gauche, sur son crâne démesuré et couronné de cheveux hirsutes. Son autre main, qui ne comptait que deux doigts charnus, balaya sèchement une larme qui rampait sur sa joue sale. Le bossu fit un effort pour se ressaisir. Avec un sourire qui dévoila ses dents irrégulières, il s'excusa :

— Tcha pleure comme un petit homme. Il faut pardonner à Tcha, car Tcha a du chagrin. C'est à cause de monsieur Senmout. Monsieur Senmout ne veut plus voir les singes de Tcha dans les jardins. Abi, To, Ti et Toui sont enfermés dans une cage depuis trois jours. Monsieur Senmout a dit au vizir que les petites fripouilles de Tcha dérangeaient les gens. Le commandant Neferothep est venu dire à Tcha d'enfermer Abi, To, Ti et Toui dans une cage. Le commandant Neferothep est gentil, mais il doit écouter les ordres. Tcha aussi doit écouter les ordres. Peut-être que Tcha devra bientôt se débarrasser de ses petites fripouilles. Tcha a du chagrin parce qu'il aime beaucoup Abi, To, Ti et Toui.

— Tu ne perdras pas tes singes, Tcha, déclara Leonis. Senmout nous prend tous pour des minables, mais le vizir nous écoute et nous respecte. Je me porterai à ta défense. Et puis, ne t'en fais pas, mon brave ami. Bientôt, ce détestable scribe devra répondre de ses actes. En ce moment, il doit drôlement s'inquiéter. Montu l'a surpris pendant qu'il nous espionnait. Il a dit à mon ami qu'il prenait simplement des notes pour se plaindre de nous devant le vizir. Seulement, il n'avait pas besoin de se cacher pour faire une telle chose. Cette excuse ne tient pas. Aujourd'hui, Senmout a été déjoué. Il nous a menés sur une piste. Il nous reste maintenant à prouver qu'il œuvre contre nous.

— Ce ne sera pas facile, dit Menna. Senmout n'est pas stupide. Il faudra réunir de solides preuves si nous désirons faire accuser cet homme. Le commandant Neferothep m'a déjà parlé de Senmout. Cet individu est un fonctionnaire respecté et des plus compétents. Nous aurons du travail à faire, mes amis. Même si nous l'avons repéré, il nous reste encore à le piéger.

— Vous pouvez compter sur moi, annonça Montu. Je vais vous apporter la preuve irréfutable que ce scélérat est l'espion des adorateurs d'Apophis. Senmout m'a humilié. J'ai bien hâte de voir la figure qu'il fera lorsqu'il se rendra compte qu'un minable esclave a compromis ses plans.

Mérit toucha tendrement le bras droit, maigre et difforme du bossu. Elle murmura:

— Tu verras, Tcha. Tes singes reviendront courir dans les jardins. Le scribe Senmout arrêtera bientôt de te tourmenter.

— Tcha espère que la jolie Mérit a raison. Si monsieur Senmout est l'Ombre, il faut qu'il arrête de faire le mal. Abi, To, Ti et Toui s'ennuient vraiment beaucoup dans la cage où Tcha les a enfermés. Tcha souhaite que ses singes reviennent bientôt dans les jardins pour vous faire rire avec les tours amusants que Tcha leur enseigne.

14
LA RUSE D'ESA

Assis sur la terrasse éclairée par des flambeaux, Leonis, Montu et Menna venaient d'achever leur repas du soir. En mangeant, ils avaient discuté à voix basse du scribe Senmout. Ils cherchaient un moyen infaillible de le piéger. Maintenant que sa méfiance était éveillée, la tâche serait très ardue. Il fallait d'abord comprendre comment l'espion procédait pour réussir à saisir des conversations se déroulant pourtant à huis clos. Jusqu'à présent, quelques-uns des renseignements qu'il avait fait parvenir aux ennemis de la lumière étaient issus de discussions qui avaient eu lieu dans l'intimité la plus complète. À moins de s'être trouvé dans la même pièce que l'enfant-lion et ses amis, l'espion n'aurait jamais pu entendre un seul mot de ces entretiens. Cette constatation était troublante. De quelle manière le traître s'y était-il pris pour saisir les informations qu'il avait livrées à Baka? Quelques semaines auparavant, Leonis, Montu et Menna s'étaient réunis dans la salle principale de la demeure afin de discuter de leur prochaine expédition dans le Marais des démons. Ils avaient alors décidé que leur départ aurait lieu le lendemain. Pendant ce temps, Raya et Mérit étaient postées dans les jardins pour surveiller les fenêtres. Cet après-midi-là, toutes les précautions avaient été prises pour contrer le traître. Pourtant, comme si cet individu avait possédé le pouvoir de se changer en souris, il avait réussi à intercepter cette conversation sans être vu. Le lendemain de leur départ, les adorateurs d'Apophis avaient tenté d'attaquer la barque du sauveur de l'Empire. Cette tentative avait engendré un horrible carnage. Les vingt-neuf hommes de Baka avaient tous été tués par les pêcheurs du Nil qui, grâce à la prévoyance de Menna, escortaient discrètement l'embarcation emportant Leonis vers le delta. Après ce triste événement, l'existence d'un espion dans l'enceinte du palais royal ne pouvait plus être mise en doute.

Aujourd'hui, Senmout venait fortuitement d'être démasqué. Il eût été préférable de faire fouiller rapidement son bureau de scribe par le commandant Neferothep. Ce bureau se trouvait dans l'enceinte du palais royal. Peut-être y avait-il là quelques indices prouvant son association avec l'ennemi? Cependant, sans l'accord du vizir, rien de tel ne pouvait être fait. Hemiounou était maintenant en route pour Thèbes. Il devait revenir à Memphis dans deux semaines pour assister à l'ouverture du coffre contenant les trois premiers joyaux. D'ici là, Senmout disposerait du temps nécessaire pour éliminer certains détails susceptibles de le compromettre. Montu proposa d'organiser une réunion dans la salle principale. En avisant Neferothep, ce dernier pourrait discrètement faire surveiller la demeure de Leonis par ses hommes. Si Senmout tentait de s'y introduire, il ne pourrait le faire sans être aperçu. Cette idée n'était pas mauvaise, mais les trois amis la rejetèrent rapidement. Selon eux, maintenant qu'il se savait soupçonné, le scribe Senmout resterait tranquille pendant un bon moment.

Mérit franchit la porte donnant sur la terrasse et, d'un pas fébrile, elle s'avança vers les convives. Elle souriait et une étincelle de malice brillait dans ses yeux noirs. Elle s'agenouilla à côté de l'enfant-lion. D'une voix fiévreuse, elle lui annonça:

— Tu es attendu au palais royal, Leonis.

Une subite chaleur inonda la poitrine de l'adolescent. En croisant le regard de Mérit, il sut aussitôt que celle-ci venait de la part de la princesse Esa. Légèrement troublé, il demanda :

— La… la princesse me… me demande ?

— Oui, Leonis, confirma la jeune fille. Esa a formulé le souhait d'apprendre à jouer de la harpe. Elle a réussi à faire croire à sa mère, Khamerernebty, que tu étais le meilleur harpiste du royaume !

— Moi ! s'étonna le sauveur de l'Empire. Mais je ne sais même pas comment tenir une harpe ! La seule fois où j'ai touché à cet instrument, vous vous êtes moquées de moi, ta sœur et toi ! Tu m'avais alors dit que tu n'aurais jamais cru que ta harpe pouvait produire un son aussi laid !

— Pauvre Esa, soupira Montu. Elle aime tellement Leonis qu'elle est prête à subir la pire torture pour le recevoir chez elle !

— Sois tout de même prudent, mon ami, ajouta Menna. Si la princesse devenait sourde par ta faute, je ne crois pas que Pharaon te le pardonnerait !

Leonis adressa un regard désespéré à la servante. En se frappant le front, il dit :

— Esa est tombée sur la tête, Mérit. Comment pourrais-je faire semblant d'être le meilleur harpiste du royaume ? Dès que je pincerai une corde, ce sera tellement affreux qu'on voudra m'expulser du palais pour toujours.

— Ne t'en fais surtout pas, mon ami, répliqua la servante. Esa a tout prévu. Je ne connais pas de fille aussi rusée qu'elle. Ce soir, personne ne pourra contester tes talents de harpiste.

Une heure plus tard, l'enfant-lion avait rejoint la princesse Esa dans ses quartiers. Lorsque Khamerernebty s'approcha de la luxueuse chambre de sa fille, elle fut charmée par le son cristallin de la harpe du jeune sauveur de l'Empire. La belle épouse de Mykérinos s'immobilisa un moment dans le couloir. Elle ferma les yeux pour se laisser bercer par la sublime musique émanant de la pièce. Esa lui avait dit la vérité : Leonis était vraiment un excellent musicien ! En l'écoutant, la femme songea qu'il était meilleur encore que la jeune Mérit qui maîtrisait pourtant cet instrument avec une précision et une grâce divine. Grandement émue, Khamerernebty pénétra dans la chambre pour aller observer ce jeune virtuose.

Dans la légère lueur que diffusaient quelques lampes à l'huile, la princesse et la servante Raya posaient sur l'enfant-lion des yeux rieurs. Leonis sursauta lorsqu'il vit venir vers lui la plus illustre dame des Deux-Terres. Il se redressa légèrement pour se donner une attitude noble. Il était assis sur un banc aux pattes courtes. La blancheur de sa tunique tranchait sur les couleurs vives des tentures murales qui se trouvaient derrière lui. La harpe appuyée sur son genou, il exécutait, avec un rictus d'anxiété, une brillante cascade de notes. Ses doigts fins pinçaient les cordes avec minutie. La première épouse du pharaon fut étonnée par la grâce aérienne des mouvements de Leonis. Elle savait que ce garçon avait déjà été esclave. Ses mains, qui avaient naguère sculpté la pierre sur un chantier, n'en possédaient pas moins une exceptionnelle apparence de délicatesse et de fraîcheur. Khamerernebty songea que le sauveur de l'Empire devait être un garçon très doux. Esa était assise à ses côtés. Elle tenait sa harpe, mais n'en jouait pas. Lorsqu'elle vit sa mère, elle déposa l'instrument et se leva pour marcher à sa rencontre. Pendant que Leonis jouait, la mère et la fille demeurèrent silencieuses. Quand, après un enchaînement grandiose de perles sonores, l'adolescent eut achevé sa prestation, Khamerernebty le complimenta:

— Ton talent est digne de charmer les oreilles de Pharaon. Il faudra que tu viennes nous divertir lorsque mon époux sera dans la capitale.

— Ce... ce serait avec plaisir, balbutia Leonis en restant cloué sur son siège.

La princesse Esa justifia l'immobilité du garçon en disant :

— Tu dois pardonner à l'enfant-lion de ne pas se lever pour venir te saluer, mère. Leonis s'est fait une très vilaine entorse à la cheville lors de sa dernière expédition dans les marais. Le pauvre ! Il peut à peine se tenir debout !

— Ce n'est rien, Esa. Je n'oublie pas que Leonis est un héros. Je suis cependant très étonnée de constater qu'un jeune homme comme l'enfant-lion puisse posséder une telle élégance dans ses gestes. Il est émouvant de découvrir que ce garçon, qui est capable d'affronter mille dangers pour sauver l'Empire, peut faire bouger ses doigts avec la grâce de l'oiseau battant des ailes. Il faut être d'une grande sensibilité pour faire chanter la harpe comme il le fait.

Leonis était rouge d'embarras. Heureusement, la femme de Mykérinos cessa de le fixer pour jeter un regard circulaire dans la pièce. En sourcillant, elle demanda :

— Je ne vois que Raya, ici. Où sont donc tes domestiques, ma belle Esa ?

— Je les ai autorisés à gagner leur quartier, mère. Tu as raison lorsque tu dis que Leonis est un garçon sensible. Malgré son grand talent, il est plutôt mal à l'aise quand il doit s'exécuter devant les gens. En outre, puisque je dois me concentrer pour bien apprendre à maîtriser cet instrument, je préfère moi-même jouer dans l'intimité. Je ne suis pas très adroite et cela me gêne, mère. Raya est mon amie et, étant donné qu'il s'agit de l'une de ses domestiques, Leonis est habitué à sa présence.

— Je comprends, Esa. Je ne vous importunerai pas plus longtemps. De toute manière, le coiffeur de la cour m'attend. Je dois essayer quelques perruques. Ensuite, j'irai dormir. Je passais simplement pour te demander si tu avais retrouvé ton bracelet d'or orné du nœud d'Isis.

— Non, mère. J'ai regardé partout, mais il reste introuvable. C'est fâcheux. Ce bijou est mon favori. Il n'est sans doute pas trop loin. Comme c'est habituellement le cas, je mettrai la main dessus au moment où je ne le chercherai plus.

Khamerernebty fit un signe de la main pour saluer l'enfant-lion. Ce dernier répondit en hochant la tête. La belle femme tourna les talons et quitta la chambre.

Un soupir de soulagement collectif s'éleva dans la pièce. Raya se leva avec précipitation pour se diriger vers la porte. Elle jeta un œil dans le couloir et chuchota :

— Elle est partie.

— Tu peux sortir de là, Mérit, annonça Esa.

La princesse s'empara de la harpe que Leonis tenait. En fait, c'était plutôt Mérit qui tenait l'instrument. Le stratagème était simple. Il y avait deux trous dans le dos du vêtement de l'enfant-lion. Dissimulée derrière les tentures murales, Mérit avait glissé ses bras dans ces orifices pour les introduire dans les manches de la tunique trafiquée. Leonis avait gardé ses mains croisées dans son dos pendant que la servante manipulait la harpe. La jeune fille était si adroite qu'elle avait joué sans voir ce qu'elle faisait. Avant l'arrivée de Khamerernebty, Raya, postée près de la porte, avait entendu des pas dans le couloir. Elle avait aussitôt donné l'alerte et les jeunes gens s'étaient rapidement installés. Dans le faible éclairage des lampes, la mère d'Esa n'avait rien remarqué de louche, si ce n'est qu'elle était désormais convaincue que les doigts du sauveur de l'Empire possédaient la finesse de ceux d'une jeune fille.

Mérit extirpa ses bras des manches de Leonis. Elle écarta les tentures et, avec un sourire satisfait, elle s'assit sur le banc et reprit sa harpe pour recommencer à jouer. Raya demeura près de la porte pour surveiller le couloir. L'enfant-lion et la princesse Esa se calèrent dans des coussins afin de reprendre la discussion qu'ils avaient dû interrompre en raison de la visite de

Khamerernebty. Leonis ferma les yeux et expira longuement avant de déclarer:

— Vous êtes vraiment incroyable, princesse. Votre mère aurait pu découvrir notre petit jeu.

— Mais elle n'a rien découvert du tout, mentionna Esa. J'ai failli éclater de rire! Si vous aviez vu votre figure, Leonis! Il y a longtemps que je ne m'étais pas autant amusée!

— Vous pouvez bien rire, Esa. Maintenant, que vais-je faire si on me convoque au palais pour jouer de la harpe devant Mykérinos?

— Nous verrons bien, mon cher ami. N'êtes-vous pas heureux d'être ici, à mes côtés? Vous ne vouliez plus que je vous rencontre dans les jardins. Vous disiez que c'était dangereux pour moi. J'ai compris, mais puisque je ne pouvais plus aller à vous, j'ai décidé que vous viendriez à moi.

Leonis posa sa main sur celle de la belle. Dans un murmure, il déclara:

— N'en parlons plus, princesse. En ce moment, je ne voudrais pas être ailleurs. Avant l'arrivée de votre mère, je vous ai parlé des malheurs qui m'affligent depuis mon retour des marais. Votre présence me fait le plus grand bien. Je vous le jure.

— Vos douleurs me blessent également, Leonis. J'ai la certitude que vous retrouverez votre petite sœur. Lorsque l'Empire sera sauvé et que je deviendrai votre femme, Tati habitera dans notre maison.

— Vous croyez toujours que Mykérinos m'accordera votre main ?

— Mon père est un homme juste, enfant-lion. Lorsque vous aurez livré l'offrande suprême, il vous devra plus que ma main. Il vous devra son royaume.

— Je sauverai l'Empire, princesse Esa. Je dois cependant vous avouer qu'en apprenant la nouvelle de l'enlèvement de Tati, j'ai eu envie de tout laisser tomber. Toutefois, n'ayez crainte, l'enfant-lion est revenu. Je crois même qu'il est beaucoup plus fort qu'avant. Je peux vous assurer que la neige ne touchera jamais le sol d'Égypte.

— La neige ? répéta Esa en fronçant le nez. Qu'est-ce que la neige, Leonis ?

L'adolescent se mordit les lèvres. Il ébaucha un sourire pour dire, l'air songeur :

— La neige, douce Esa… ce n'est rien, en fait… Dites-vous simplement que j'ai inventé ce mot pour remplacer le mot « mort ».

— Dans ce cas, mon brave ami, promettez-moi de m'aimer jusqu'à votre neige.

Pendant un instant, le son de la harpe de Mérit fut étouffé par le rire fracassant de Leonis.

15
UN MESSAGE DE L'ENNEMI

L'Ombre arpentait un couloir qui, seize ans auparavant, avait été creusé sous le palais royal de Memphis. À cette époque, Baka occupait le trône d'Égypte. Son règne était toutefois sur le point de s'achever. La révolte du peuple était imminente. En secret, Baka avait ordonné de faire creuser ce passage. Il comptait s'en servir pour quitter l'enceinte si la situation devenait périlleuse. Malheureusement pour le maître des adorateurs d'Apophis, le groupe d'ouvriers affectés à cette tâche n'avait pu terminer ce projet à temps. Quand les alliés de Mykérinos avaient investi le palais, le roi déchu et sa garde avaient rapidement été maîtrisés. Le couloir n'avait pas été découvert. On pouvait y accéder en soulevant une dalle située dans une loge de la majestueuse demeure du pharaon. Après la chute de Baka, cette dalle, qui n'avait en somme rien de remarquable, était demeurée en place.

L'avènement du nouveau roi avait créé de nombreux bouleversements dans les rangs du clergé et des hauts dignitaires de l'Empire. Dans l'enceinte du palais, personne n'avait été épargné. Les domestiques avaient tous été chassés. L'Ombre avait habilement manœuvré pour rester dans l'entourage de Mykérinos. Quelques jours avant la capture de Baka, ce dernier l'avait convoqué dans la salle du trône. Il avait dit à l'Ombre que la fin de son règne approchait. À ce moment, Baka avait la certitude qu'il perdrait bientôt la vie. Il avait cependant affirmé que sa mort ne signifierait pas la fin des ennemis de la lumière. Un autre maître était prêt à lui succéder. L'édification du Temple des Ténèbres était presque terminée. Les adorateurs d'Apophis pourraient continuer à œuvrer secrètement dans le but de mener le royaume d'Égypte à sa perte. Baka avait demandé à l'Ombre, qui était l'un de ses plus brillants scribes, de devenir espion pour la cause. L'Ombre avait accepté cette importante responsabilité.

Avec adresse, le nouvel informateur s'était insinué dans l'environnement du nouveau souverain. En épiant les conversations des domestiques et des gens de la cour, il avait appris que son maître n'était pas mort. Mykérinos l'avait simplement expulsé de la terre d'Égypte. Cette nouvelle avait réjoui l'Ombre. Quelques mois plus tard, il avait reçu un premier message de Baka. L'espion avait rapidement fait parvenir une réponse au maître des ennemis de la lumière. Il lui annonçait que, de son côté, tout allait bien. Dans cette missive, il lui assurait avec fierté que jamais personne ne le soupçonnerait de livrer des renseignements.

Toutefois, en ce temps, le plus grand succès de l'Ombre restait encore à venir. Connaissant l'existence et l'emplacement exact du couloir inachevé qui se trouvait sous le palais, il avait creusé une galerie pour le rejoindre. Cette galerie partait du quartier des domestiques. L'Ombre avait besogné pendant plus d'une année avant d'atteindre enfin son objectif. Il travaillait chaque nuit, recueillant la terre du tunnel pour la transporter à l'extérieur dans des contenants cylindriques. Lorsque ce colossal ouvrage avait été accompli, il avait entrepris de creuser une série de passages secondaires reliant chaque pièce du palais royal. Il ne lui restait alors qu'à percer de petits trous communiquant avec ces pièces pour pouvoir entendre les conversations qu'on y échangeait. Puisque l'érection du palais de Memphis datait du règne du pharaon Khéops, ceux qui, par la suite, avaient remarqué ces trous de souris ne s'étaient jamais interrogés à leur sujet. D'ailleurs, les planchers du palais étaient presque tous recouverts de nattes. Le réseau souterrain de l'Ombre était difficile à repérer. La maison de Leonis n'échappait pas non plus à sa surveillance. Dès que Mykérinos avait annoncé la construction d'une demeure destinée au sauveur de l'Empire, l'Ombre avait repris sa laborieuse tâche de fourmi.

Souvent, l'espion devait procéder à l'examen de son réseau souterrain. Les parois de terre étaient fermes et de solides poutres soutenaient le plafond. Seulement, afin d'y remédier au plus vite, il fallait identifier le moindre signe d'affaiblissement de la structure. À cause des canaux d'irrigation qui traversaient les jardins, l'eau s'infiltrait parfois dans les galeries. On pouvait cheminer debout dans le couloir que Baka avait autrefois fait creuser. Il en allait autrement pour les galeries aménagées par l'Ombre. Elles étaient étroites, basses et il fallait y progresser à genoux.

L'espion s'immobilisa devant le passage conduisant sous la demeure de l'enfant-lion. Il jeta un soupir d'embarras. Sa lampe tremblait dans sa main. En quinze années, il n'avait jamais craint d'être démasqué. À présent, une terrible angoisse l'envahissait. Cet après-midi-là, dans les jardins, il avait commis une grossière erreur. Comment avait-il pu agir ainsi ? Lorsque Montu avait parlé, il s'était rendu compte que les jeunes gens étaient vraiment sur sa piste. C'était sans doute cette évidence qui l'avait rendu nerveux. Ensuite, il avait mal joué son rôle. Il devrait peut-être payer pour cette faute.

L'espion se glissa dans le passage reliant le grand couloir à la résidence du sauveur de l'Empire. Il savait que Leonis rendait visite à la princesse Esa. Il revenait de cet endroit, mais le son d'une harpe l'avait empêché d'épier les conversations. À cette heure, Montu et Menna se trouvaient probablement dans la salle principale. L'Ombre s'engagea dans l'embranchement qui y menait.

Au même instant, Montu était assis par terre dans l'obscurité de la grande pièce sous laquelle se trouvait l'espion. Il caressait le chiot de Mérit qui dormait sur ses genoux. Le garçon pensait au scribe Senmout. Les paroles méchantes de cet homme résonnaient encore dans sa tête. Lorsqu'il vit une lueur jaillir du plancher, il se frotta les yeux pour s'assurer qu'il ne rêvait pas. Constatant que la lumière persistait, Montu saisit le petit chien somnolent pour le déposer sur les nattes. Sans faire de bruit, il se leva pour se diriger d'un pas discret vers l'endroit d'où s'échappait l'étrange faisceau lumineux. Le trou avait été percé au pied d'une grande statue représentant la déesse-lionne Sekhmet. Une natte le recouvrait, mais la lumière filtrait entre les joncs tressés. Montu se pencha, souleva la natte et vit l'orifice. Il ne put rien discerner d'autre, car, sous la maison, l'espion éteignit sa lampe. L'Ombre ne sut pas que l'ami de Leonis venait de découvrir son plus grand secret. En constatant qu'il ne se passait rien d'intéressant dans la salle principale, le traître rebroussa chemin pour réintégrer le grand couloir. Là-haut, le jeune Montu triomphait en silence. Il savait maintenant comment l'espion du palais royal s'y prenait pour recueillir ses renseignements. Le garçon n'attendit pas Leonis. Il n'alla pas retrouver Menna pour lui annoncer sa surprenante découverte. Montu décida d'aller se coucher. Il s'efforça d'agir comme si rien ne s'était passé. Si le traître était toujours sous la maison, il ne fallait pas éveiller ses doutes. Bientôt, la chasse pourrait commencer.

Montu attendit que le repas du matin fût achevé avant d'annoncer sa surprenante découverte à ses compagnons. En dépit du fait qu'ils se trouvaient sur la terrasse, le garçon murmura pour expliquer aux autres ce qu'il avait vu la veille. Leonis et Menna accueillirent ces révélations avec stupeur. L'enfant-lion se gratta le crâne avant de dire, sur le même ton que son ami :

— Pourquoi n'y avons-nous pas songé plus tôt ?

— C'était pourtant simple, ajouta Menna. Pendant que nous parlions, le traître était juste sous nos pieds.

— Il faudra soulever chaque natte qui recouvre le sol de la maison, proposa Montu. Ce matin, j'ai trouvé un autre trou dans un coin de ma chambre. J'imagine qu'aucune pièce de la demeure n'y échappe.

— Tu as sans doute raison, mon vieux, acquiesça Leonis. Le sous-sol du palais royal doit également ressembler à une fourmilière. Il faudra avertir le commandant Neferothep.

— Pas tout de suite, objecta Montu. À mon avis, il vaut mieux que Senmout ne sache pas que nous avons découvert son secret. S'il s'en rendait compte, il mettrait fin à son petit jeu. Il faudrait le surprendre pendant qu'il se trouve dans les tunnels.

— Ce sera difficile d'entrer là-dedans sans qu'il s'en aperçoive, glissa Menna. Nous ne savons pas où se situe l'accès des passages qui se trouvent sous la maison. Pour le moment, la seule façon d'y pénétrer serait de soulever la dalle dans laquelle Senmout a percé son trou. Par la suite, il nous faudrait creuser le sol pour descendre dans le tunnel. Pourrions-nous faire cela sans l'alerter?

— Nous finirons bien par trouver une solution, dit Leonis. Une chose est certaine, mes amis: hier, ce n'était vraiment pas le jour de chance du scribe Senmout. Il...

L'enfant-lion s'interrompit. Raya venait d'apparaître dans l'embrasure de la porte donnant sur la terrasse. Sans s'avancer, elle annonça:

— Pourrais-tu descendre, Leonis? Il y a un soldat devant le porche. Il dit qu'il apporte un message destiné au sauveur de l'Empire.

Leonis afficha un air intrigué. En souriant, il quitta ses compagnons pour aller à la rencontre du messager. Lorsqu'il franchit le porche, le soldat s'inclina avec respect.

— Vous avez un message pour moi? demanda l'enfant-lion.

— Oui, Monsieur. Le commandant Neferothep m'a chargé de vous le remettre.

— Il s'agit d'un message du commandant?

— Non, Monsieur, répondit l'autre en tendant à Leonis un rouleau de cuir.

Le sauveur de l'Empire prit l'étui et constata qu'il avait été cousu. Le soldat poursuivit:

— Tout à l'heure, un gamin s'est présenté devant le poste de garde. Il a dit qu'il avait un message pour l'enfant-lion. Neferothep l'a interrogé au sujet de ce message, mais le gamin a juste dit qu'un individu lui avait offert une bille de cuivre en échange de ce service.

L'enfant-lion remercia le soldat. Il pénétra dans la maison et se dirigea vers sa chambre pour y trouver son poignard. Il dénicha l'arme dans son sac et rompit les coutures serrées du rouleau de cuir. Le papyrus fut dévoilé et Leonis s'approcha de la fenêtre pour le déchiffrer. Le message n'était pas très long, mais, en le lisant, l'adolescent sentit un frisson d'effroi parcourir son dos. Le message disait :

Nous avons Tati, Leonis. Si tu veux la revoir, tu devras venir nous rencontrer lorsque la lune sera haute dans le ciel. Tu te rendras dans les ruines de l'ancien temple de Ptah. Tu devras venir seul, sinon ta sœur mourra.

Au bas de la missive, on avait tracé le symbole des adorateurs d'Apophis. L'enfant-lion laissa tomber le papyrus qui roula sous son lit. Écrasé par l'émotion, il dut s'appuyer sur le rebord de la fenêtre pour ne pas perdre l'équilibre.

16
LES CHATS DE MEMPHIS

Couchée sur le flanc dans un confortable panier de joncs, la chatte Ta-Mit allaitait ses cinq chatons. Elle était bien. Le sommeil l'emportait doucement et elle ronronnait. Le félin ne ressentait pas la moindre envie de remuer un poil de sa fourrure rousse et drue. Pourtant, comme si un insecte venait de s'y introduire, l'une de ses oreilles commença à s'agiter. Ta-Mit sursauta et émit un son bref qui ressemblait à un roucoulement. Au grand désespoir de ses chatons, elle se leva et fit le dos rond pour redonner de la souplesse à ses muscles. Sans se préoccuper de sa progéniture qui s'égosillait de mécontentement, la chatte abandonna sa couche pour se précipiter vers la fenêtre. Elle huma le vent et sauta dans l'herbe de l'avant-cour. Son ventre flasque rasant le sol, elle se dirigea vers la sortie du modeste jardin.

Sans la voir, l'enfant-lion passa à une coudée de Ta-Mit. Leonis plissait les paupières et marchait lentement dans les rues sombres de la cité. Sa blessure à la cheville ne l'incommodait presque plus. Il avait tout de même prévu d'apporter son bâton. Après avoir déchiffré le message des adorateurs d'Apophis, Leonis s'était jeté sur son lit. Il avait dû faire un immense effort pour parvenir à dissiper le trouble qui le submergeait. Il ne voulait surtout pas céder à un nouvel accès de défaitisme. La quête devait se poursuivre. Bastet lui avait affirmé que quelqu'un veillait sur Tati. Bien entendu, cette rencontre avec la déesse-chat n'avait eu lieu qu'en songe. Toutefois, le sauveur de l'Empire ne doutait pas que ce tête-à-tête onirique recelait une part de réalité. Étendu sur son lit, Leonis avait fermé les yeux en respirant profondément pour s'exhorter au calme. Il s'était ensuite levé pour aller retrouver Montu et Menna sur la terrasse. Ces derniers l'avaient interrogé au sujet du message. L'enfant-lion avait feint la timidité pour affirmer qu'il s'agissait d'un billet doux de la princesse Esa. Les autres avaient ri.

Tout en ayant la certitude qu'on lui tendait un piège, l'adolescent ne pouvait résister à l'envie d'aller au rendez-vous fixé par l'ennemi. Il savait que ses compagnons feraient tout pour le dissuader de se rendre seul à l'ancien temple de Ptah. Dans l'après-midi, tandis que Montu, Menna et les jumelles inspectaient discrètement la demeure pour localiser chacune des ouvertures ménagées par l'espion, l'enfant-lion s'était éclipsé un moment pour se rendre au poste de garde du palais. Il avait échangé quelques mots avec un soldat et, durant cette brève discussion, il s'était informé de l'emplacement des ruines du vieux temple. Le soldat lui avait répondu sans s'interroger le moins du monde sur les intentions de son interlocuteur. Lorsque Leonis était rentré chez lui, Montu lui avait glissé à l'oreille que chacune des douze pièces de la maison possédait son trou d'espion.

L'enfant-lion sursauta. Quelque chose venait de lui effleurer la jambe droite. Il baissa les yeux pour apercevoir un chat dont le pelage obscur se découpait sur la pâleur du sol sablonneux. Le félin miaula. Leonis se baissa pour le caresser un instant. Les ruines de l'ancien temple de Ptah n'étaient plus très loin. Le soldat lui avait dit qu'elles se situaient un peu à l'est des débarcadères du port. L'érosion avait lentement eu raison de la structure du bâtiment et on avait dû le démanteler pour le reconstruire sur un terrain plus stable. Leonis avait quitté l'enceinte du palais royal en sautant la muraille. Il avait dit à ses amis qu'il allait dormir. Après avoir disposé des coussins sous la peau de mouton qui recouvrait son lit, il était sorti par la fenêtre de sa chambre. Il avait évité d'emprunter les rues principales. L'incident qui s'était produit au portail nord avait amené le vizir à augmenter le nombre de patrouilles dans la cité. Cependant, même si Leonis allait à leur rencontre, il savait que les adorateurs d'Apophis ne l'épargneraient pas s'il tombait sur eux avant d'avoir atteint le temple. Qu'allait-il faire une fois sur place? Il n'en avait pas la moindre idée.

On avait allumé des feux dans les ruines. Leonis demeurait à bonne distance, caché derrière une vieille barque qui, vu son état, ne naviguerait probablement plus. L'adolescent scrutait les décombres du vieux temple pour tenter de repérer l'ennemi. Un bruissement se fit entendre à ses côtés. Il se retourna vivement pour voir de quoi il s'agissait. Un autre chat, noir et blanc celui-là, passa près de lui pour se précipiter vers l'ancien lieu de culte. Leonis regarda la lune. Elle avait presque atteint son apogée dans le ciel constellé d'étoiles. Il hésitait. En risquant ainsi sa vie, il mettait également en jeu l'existence du royaume. Les adorateurs d'Apophis ne l'avaient pas convié pour discuter. Dès qu'il se montrerait, ces scélérats tenteraient de le tuer. Au mépris du danger qu'il courait, l'enfant-lion se dit que, si Tati était là, il fallait tenter quelque chose.

Le dos courbé, Leonis chemina vers les vestiges du temple de Ptah. Dans sa progression, il profitait de chaque débris assez gros pour le soustraire aux yeux de l'ennemi. Il s'immobilisa une nouvelle fois pour examiner les restes du bâtiment. Les feux crépitaient. Les statues abandonnées semblaient s'animer dans la lueur mouvante des flammes. En fermant les yeux, le sauveur de l'Empire chuchota:

— Protégez-moi, déesse Bastet.

Le cœur battant à un rythme fou, Leonis s'avança dans la lumière. Quelques chats émergèrent des ruines pour venir tourner autour de lui. L'adolescent n'eut pas à attendre longtemps. Du portique hypostyle de l'ancien lieu de culte, une voix s'éleva:

— Ainsi, tu es venu, minable Leonis!

La surprise paralysa l'enfant-lion. Cette voix criarde, il l'eût reconnue entre mille autres. Lorsqu'il besognait dans l'atelier aux ornements du chantier du palais d'Esa, elle avait accompagné chacun de ses jours de labeur. Cette voix avait incessamment abreuvé le jeune esclave d'injures et de reproches. Elle appartenait à un jeune homme cruel, violent et intransigeant. C'était la voix du contremaître Hapsout. Leonis se retourna pour faire face au portique dévasté du temple. Trois silhouettes se détachèrent des ténèbres pour venir à sa rencontre.

Les yeux du sauveur de l'Empire lui confirmèrent que ses oreilles et sa mémoire ne l'avaient pas trompé. Encadré par deux gaillards armés de javelots, Hapsout marchait vers lui. Une fielleuse délectation se lisait dans la figure disgracieuse du jeune homme. Il s'approcha de Leonis qui soutenait son regard. Les deux hommes armés demeurèrent légèrement en retrait. Hapsout s'arrêta à quelques pas de l'adolescent. Il tenait un objet qui rappelait de bien tristes souvenirs à l'enfant-lion : un lourd bâton de bronze représentant un cobra. Les yeux de grenat du serpent étincelaient dans la clarté des feux. Hapsout toisa Leonis avec un sourire triomphant. Il émit un petit rire méprisant avant de susurrer :

— C'est un merveilleux moment pour moi, pitoyable vaurien. J'attends cet instant depuis le jour de ton évasion. Ce jour-là, tu avais déjà commis une erreur irréparable, Leonis. Mais, comme si cela n'avait pas été suffisant, il fallait que tu reviennes au chantier pour m'humilier devant les autres ouvriers.

J'imagine que tu as bien ri en voyant le vizir me couvrir de honte. C'est à mon tour de rire, maintenant.

— Où est ma sœur, Hapsout? cracha Leonis.

— Ta petite pouilleuse adorée n'est pas avec nous. Je suis heureux de t'annoncer que je suis le principal responsable de sa capture. Dès que l'Ombre nous a informés de son existence, le maître Baka m'a désigné pour partir à sa recherche. Tu croyais vraiment qu'elle serait ici? Tu vois, Leonis, un être intelligent ne serait pas tombé dans un piège aussi enfantin. Seulement, tu n'es pas du tout intelligent. L'esclavage t'allait si bien! Certains hommes prétendent que tu es le sauveur de l'Empire. Moi, je sais que tu n'as pas plus de valeur qu'un rat.

— Si, à mon tour, je te traitais de rat, Hapsout, ce serait un déshonneur pour ces pauvres bêtes.

Hapsout n'apprécia pas la réplique. Son bâton percuta avec force le ventre de l'enfant-lion. Ce dernier perdit le souffle et ses genoux touchèrent le sol. Sa dérisoire canne glissa de sa main droite.

Le perfide jeune homme lui asséna ensuite un coup de pied au menton. Des éclairs colorés troublèrent la vue de Leonis.

Assommé, il roula sur le sable compact. D'une voix chuintante, l'assaillant proféra :

— Tu as beau crâner, misérable cloporte ! Je vais te tuer de mes mains ! J'offrirai ta tête au maître Baka et…

Hapsout plissa les sourcils. Leonis le vit fixer un point qui devait se trouver à proximité. Derrière le vilain jeune homme, l'un des gaillards lança, sur un ton anxieux :

— Par Seth ! D'où viennent tous ces chats ?

L'enfant-lion s'agenouilla et se retourna pour assister à un véritable prodige. Une marrée de félins venait d'entrer dans la lumière des flammes. Ils convergeaient lentement vers les trois adorateurs du grand serpent. Leurs poils étaient hérissés et leurs oreilles étaient basses. Hapsout recula. Visiblement effrayé, il ordonna à ses acolytes :

— Faites votre besogne, imbéciles ! Ne vous laissez pas impressionner par ces sorcelleries ! Allez, Amennakhté, il faut tuer ce sale esclave !

Le dénommé Amennakhté leva son javelot. Comme s'il s'agissait d'un signal, les chats se jetèrent, tel un essaim de guêpes, sur les ennemis de la lumière. Leonis se leva. Ses chevilles disparaissaient dans ce flot grouillant de pelages bigarrés. Hapsout et ses comparses se débattaient maintenant comme si le feu dévorait leurs tuniques. Leurs hurlements se mêlaient à une cacophonie de feulements, de grognements et de miaulements rauques. Ils protégeaient leurs figures du mieux qu'ils le pouvaient. Leurs corps furent rapidement enveloppés de manteaux vivants qui mettaient au supplice chaque parcelle de leur chair. Amennakhté parvint tout de même à pousser le cri de la hyène. En reconnaissant l'appel des adorateurs d'Apophis, Leonis comprit qu'il était temps de fuir. D'autres cris s'élevèrent des ruines. L'enfant-lion secoua la tête pour tenter d'atténuer la sensation de vertige qui le troublait encore. Il regarda dans toutes les directions et il put remarquer de nombreuses silhouettes dans le décor environnant. Les adorateurs d'Apophis l'encerclaient.

Leonis se mit à courir pour échapper à la horde de ses adversaires. Il dut changer sa trajectoire à plusieurs reprises en apercevant des ombres qui surgissaient devant lui. Par bonheur, sa cheville supportait bien l'effort. L'enfant-lion fut forcé de se diriger vers le temple. Dans son dos, il entendit d'angoissants ricanements. Les troupes d'élite de Baka se nommaient les Hyènes. Ces redoutables combattants communiquaient entre eux en utilisant le cri de cet animal. Mais Leonis savait que les clameurs stridentes qu'il venait d'entendre n'avaient pas été produites par des hommes. Les adorateurs d'Apophis avaient parfois recours à de vraies hyènes. Ces bêtes étaient dressées pour l'attaque et elles pouvaient atteindre une proie beaucoup plus rapidement que n'importe quel être humain. À l'évidence, les carnassiers avaient été lâchés. Sans se retourner, Leonis s'engagea dans le portique du temple de Ptah. Il gagna la surface de la grande cour de culte. L'obscurité dense qui régnait dans l'enceinte l'empêchait de voir où il allait. Avec dépit, il s'immobilisa. Il ne pouvait plus courir sans risquer de trébucher ou de s'assommer. Le sommet des murailles tranchait sur le ciel légèrement plus clair. Ironiquement, l'enceinte de ce temple en ruines semblait en bon état. Le sauveur de l'Empire venait lui-même de se piéger. L'unique issue de cette cour était sans doute le portique qu'il venait de franchir pour se mettre à l'abri. Fébrilement, Leonis retira sa tunique, il défit le nœud qui raccourcissait la chaîne du talisman des pharaons et il prononça trois fois le nom de la déesse Bastet. La métamorphose s'opéra.

17
LE RETOUR DU LION BLANC

Après la fuite de Leonis, les chats s'étaient vite dispersés dans la nature. Hapsout et ses acolytes, Hay et Amennakhté, souffraient beaucoup. Leurs corps étaient couverts de profondes lacérations. Leurs tuniques sombres étaient en lambeaux et leurs membres nus disparaissaient sous un voile sanglant. Cependant, leurs plaies, bien que tenaillantes, n'étaient pas mortelles. Une terreur panique se lisait dans leurs yeux. Ils tremblaient avec violence en procédant à l'examen de leurs multiples blessures. Ils se rendaient compte qu'ils n'auraient pu survivre si les félins n'avaient pas subitement interrompu leur implacable assaut.

Les hommes qui avaient rabattu l'enfant-lion vers le temple vinrent se regrouper dans la clarté des feux. Ils étaient neuf. L'un d'eux était dresseur. Les trois hyènes qu'il retenait par des longes attendaient calmement qu'il les détache. Les bêtes furent libérées. Elles se précipitèrent en hurlant sur les traces de l'enfant-lion. Les adorateurs d'Apophis savaient que la grande cour de culte ne comportait qu'une issue. Cette fois, Leonis ne pourrait leur échapper. Si les hyènes ne le dévoraient pas, elles le forceraient à sortir. Un combattant gagna l'entrée du temple pour y déposer deux torches. Il revint ensuite vers ses complices qui avaient formé un rang et tendu leurs arcs. Ils braquèrent leurs flèches sur le portique. Les pointes de ces projectiles étaient enduites de poison.

Tapis non loin de là, Menna, Montu et deux archers de la garde royale avaient assisté à toute la scène. Ils portaient des vêtements noirs et des voiles masquaient leurs figures. Avec étonnement, ils avaient vu la multitude de chats se porter à la rescousse de l'enfant-lion. Montu avait lui aussi reconnu l'odieux Hapsout. En voyant son ancien contremaître pénétrer dans la lumière, le garçon avait dû retenir une exclamation de stupeur. Après l'intervention prodigieuse des félins, les alliés de Leonis avaient vu ce dernier s'enfuir. Toutefois, en raison de la noirceur, ils n'avaient pu suivre sa course des yeux. Les adorateurs d'Apophis s'étaient montrés, les hyènes s'étaient lancées aux trousses du sauveur de l'Empire et, en voyant les hommes de Baka pointer leurs flèches vers l'entrée du lieu de culte, Montu, Menna et les archers qui les accompagnaient avaient compris que Leonis se retrouvait dans une impasse. Le temps était venu de passer à l'action. Menna murmura :

— J'espère que Leonis trouvera un moyen d'échapper à ces sales bêtes. Je compte douze ennemis. Trois d'entre eux sont plutôt mal en point.

— Il y a peut-être des hommes à l'intérieur du temple, fit l'un des gardes du palais.

— Cela m'étonnerait, rétorqua Menna. Les adorateurs d'Apophis ont lâché leurs hyènes. Ces animaux sont redoutables. Je préférerais me battre avec vingt hommes plutôt que d'affronter quelques-uns de ces horribles charognards. Les combattants de Baka ne peuvent douter de l'efficacité des hyènes. Leonis n'a pas emporté son arc. Il est désarmé et, si ces hideuses créatures ne le dévorent pas, elles l'empêcheront certainement de quitter l'endroit où il s'est réfugié. S'il reste là-dedans, nos adversaires n'auront qu'à aller le cueillir. S'il sort, ils l'abattront comme une malheureuse antilope.

— Il faut y aller, proposa un archer. Je vais me poster au nord. Je viserai les ennemis qui sont à gauche.

— Je serai au sud, dit l'autre. Je m'occuperai de ceux de droite.

— Très bien, approuva Menna. Lorsque vous entendrez mon signal, vous attaquerez. Soyez prudents, mes amis. D'habitude, les adorateurs d'Apophis utilisent des flèches empoisonnées. Ils ne doivent surtout pas vous voir.

Sans répondre, les soldats de la garde royale se glissèrent dans l'obscurité. Menna indiqua à Montu un amas de débris qui se trouvait à dix longueurs d'homme devant eux. Il expliqua:

— Si tu te places à cet endroit, ces scélérats seront à la portée de ton arc. Je sais que tu n'as pas l'habitude de tirer sur les gens, Montu. Je tiens à te dire que tu n'es pas forcé de le faire.

— Leonis est en danger, Menna. J'ai vingt flèches dans mon carquois. Je les utiliserai toutes s'il le faut.

Le jeune combattant toucha l'épaule de l'adolescent. Montu hocha la tête avec conviction et se coula jusqu'à son poste.

Dressé sur une pierre large et plate qui avait dû servir d'autel, le lion blanc vit les trois hyènes pénétrer dans la cour de culte. Les carnassiers flairaient le sol pour retrouver la piste de leur gibier. Mais le gibier n'était plus tout à fait le même. Le grand fauve émit un grognement caverneux. Les hyènes dressèrent la tête pour regarder dans sa direction. Elles ne virent pas le lion. Leur odorat leur permit cependant de le localiser. Les poils de leurs dos se dressèrent. Elles se séparèrent et, lentement, en rasant le sol, elles s'avancèrent vers l'impressionnant félin. L'un des carnassiers poussa un bref ricanement. Le lion blanc descendit de l'autel pour s'avancer au milieu de la cour. Un premier charognard discerna sa silhouette pâle et massive dans la pénombre. Avec un glapissement, la hyène se propulsa vers le puissant fauve. Ses congénères l'imitèrent. Elles atteignirent toutes les trois le lion blanc, mais, curieusement, elles tournèrent autour de lui sans l'attaquer. Une rage sourde les animait. Elles grognaient en dévoilant leurs crocs. Elles plissaient leurs courts museaux et une écume laiteuse coulait de leurs gueules. De toute évidence, elles désiraient livrer l'assaut. Mais elles ne le pouvaient pas. Quelque chose les empêchait de se jeter sur le félin. Ce phénomène outrepassait leur volonté bestiale et décuplait leur agressivité. En effectuant un mouvement brusque, l'une des hyènes heurta le flanc d'une autre. Les deux carnassiers engagèrent aussitôt le combat. La troisième ne tarda pas à se jeter dans la lutte. Le lion blanc huma l'odeur âcre du sang frais. Il abandonna les charognards pour se diriger vers le portique hypostyle de l'ancien temple. Les hyènes ne se préoccupaient plus de lui. Dans un vacarme de grognements sourds et de plaintes suraiguës, elles s'entredéchiraient.

Les ennemis de la lumière gardaient leurs yeux rivés sur l'entrée du temple. En entendant les affreux cris de ses hyènes, le dresseur déclara :

— Mes chéries semblent avoir retrouvé ce misérable gamin. D'après leurs cris, elles doivent déjà se disputer sa chair. Je vais les appeler. Puisque Baka veut la tête du sauveur de l'Empire, je suis mieux d'intervenir avant qu'il n'en reste plus rien.

Le dresseur plaça ses mains de chaque côté de sa bouche. Il poussa un hurlement prolongé pour héler ses bêtes. Dans la cour du temple, les bruits de combat se poursuivirent. L'homme hurla de nouveau, mais les hyènes refusèrent de se soumettre à ses ordres. L'un de ses camarades se moqua de lui :

— Cet homme est un très bon dresseur, les gars. Le problème, c'est que ses mangeuses de pourritures sont sourdes comme des pierres !

Les archers se mirent à rire. Le maître des bêtes ignora la boutade. Il semblait préoccupé. Il fit trois nouvelles tentatives sans obtenir de résultat. De l'autre côté du portique, les affreux cris avaient pourtant cessé. Un long moment après le dernier appel du dresseur, une ombre apparut enfin entre les colonnes de l'entrée. Il s'agissait de l'un des trois charognards. La hyène s'approcha péniblement des ennemis de la lumière. Elle boitait et son dos formait une courbe étrange. Son pelage était couvert de sang. En vacillant, la bête atteignit son maître. Sans une plainte, elle s'écroula à ses pieds. Abasourdi, l'homme se pencha. De la paume, il toucha le flanc ensanglanté de la hyène. Il murmura d'une voix chevrotante :

— Elle est morte, les gars... J'ignore ce qui s'est passé dans cette cour, mais ce n'est pas normal... Où sont mes autres bêtes ? Pourquoi ne viennent-elles pas ?

Un silence craintif s'imposa dans le groupe. Les arcs tremblaient dans la poigne moite des archers. Ils sursautèrent lorsqu'une chouette hulula. Il y eut une série de sifflements. Trois adorateurs d'Apophis s'écroulèrent devant les yeux stupéfaits de leurs compagnons. Des flèches saillaient de leurs thorax. Les combattants de Baka n'eurent guère le temps de réagir. Une nouvelle bordée de traits faucha trois autres hommes. Les deux archers qui restaient se précipitèrent pour sortir de la clarté des feux. L'un d'eux y parvint. L'autre fut foudroyé. En rampant, le dresseur de hyène se glissa dans l'obscurité.

Hapsout et Hay étaient parvenus à s'abriter entre un monticule et le socle d'une statue mutilée de la déesse Sekhmet. Amennakhté n'avait pas réagi assez vite. Il était couché à plat ventre derrière un bouquet d'arbustes rabougris. Sachant qu'il se trouvait dans une situation précaire, il se leva d'un bond pour tenter de rejoindre ses complices. Il se précipita vers l'endroit où se terraient Hapsout et Hay. Ces derniers le virent s'arrêter et lever les bras au ciel. Amennakhté grimaça de douleur. Il marmonna quelques mots inintelligibles et s'effondra. En voyant son compagnon mordre la poussière, Hay poussa un hurlement horrifié. Il se dressa avec l'intention de le secourir. Aussitôt, une flèche lui traversa l'épaule. Le gaillard serra les dents et se remit à couvert. Perclus d'épouvante, Hapsout balbutia :

— Il… il faut… fuir, Hay. Je t'ordonne de me sortir d'ici, idiot.

Hay ferma le poing. Il avait envie d'assommer le détestable jeune homme. Il toucha la flèche qui avait pénétré profondément dans son épaule. Un cuisant élancement lui fit presque perdre connaissance. Hapsout avait raison. Il fallait quitter cet endroit. Hay jeta un dernier regard sur le corps de son ami. Il examina ensuite les alentours pour établir un itinéraire qui leur permettrait d'échapper aux tirs des archers invisibles. Il repéra un obstacle qui se situait à un jet de pierre de leur refuge. S'ils pouvaient l'atteindre, ils seraient en sécurité. Hay saisit le bras de Hapsout. Sans être vus, les deux adorateurs d'Apophis parvinrent à l'amoncellement de grosses briques que le combattant avait remarqué. Sans s'attarder davantage, ils foncèrent en direction de l'ouest. La nuit couvrit leur fuite.

Menna imita une nouvelle fois le hululement de la chouette. Lui, Montu et leurs deux alliés quittèrent leurs positions pour regagner leur point de ralliement. Ensemble, ils fouillèrent les ruines du regard pour s'assurer que la voie était libre. L'un des gardes du palais chuchota:

— Quatre de nos ennemis ont réussi à s'enfuir. Ils attentent peut-être qu'on se montre pour nous tomber dessus.

— L'un des survivants possède un arc, dit Menna. À mon avis, cet homme est le seul que nous devons craindre. Les autres étaient désarmés. Ils doivent courir en ce moment.

— Je suis très inquiet pour Leonis, déclara Montu. Il faudrait aller voir s'il va bien.

— Je vais me diriger vers le temple, proposa Menna. J'espère que notre ami sera parvenu à s'en tirer. L'une des hyènes est morte. Pourvu que ses sœurs aient subi le même sort…

Menna et Montu ne pouvaient en discuter devant les autres, mais, en voyant la hyène s'écrouler aux pieds de son maître, ils avaient tout de suite songé que le lion blanc avait quelque chose à voir avec le piteux état du carnassier. Cette constatation les avait comblés d'espoir. Toutefois, lorsque le dresseur avait annoncé que ses bêtes se battaient probablement pour se partager la chair de l'enfant-lion, les amis de Leonis avaient ressenti le même frisson d'angoisse. Ils savaient que le sauveur de l'Empire possédait le pouvoir de se transformer en lion. L'adolescent leur avait par contre avoué que, ces derniers temps, il s'était avéré incapable de procéder à la métamorphose. Si les blessures mortelles de la hyène ne lui avaient pas été infligées par le lion blanc, il fallait envisager le pire. Les paroles que le dresseur avait prononcées étaient logiques. Il était probable que les hyènes se fussent disputé le cadavre de Leonis. Si tel était le cas, la paire de charognards qui restait était probablement en train de se livrer au plus abominable des festins.

Menna quitta ses compagnons et marcha vers l'ancien temple de Ptah. Il prit soin de demeurer dans la pénombre. En dépit de cette précaution, l'archer de Baka, le seul qui avait miraculeusement échappé au massacre, le vit s'approcher. L'homme se trouvait dans le portique du lieu de culte. Malgré les torches qui éclairaient l'entrée, il était parvenu à se faufiler entre les larges colonnes. En se cachant, il n'avait pas eu l'intention de riposter à l'attaque que lui et ses compères venaient de subir. Ce n'était guère par manque de courage qu'il se terrait de la sorte. Seulement, il savait qu'il ne pourrait vaincre ses ennemis à lui seul. S'il avait pu deviner que ses adversaires n'étaient que quatre, il eût sans doute tenté quelque chose. En apercevant Menna, l'adorateur d'Apophis avait toujours la certitude que les environs grouillaient de soldats de l'Empire. Il hésita un peu avant de puiser une flèche dans son carquois. S'il tuait cet homme, sa propre mort viendrait presque aussitôt. Les autres finiraient par le débusquer. L'archer se dit qu'il n'avait pas le droit de reculer. Il faisait partie des troupes d'élite de Baka et il en était fier. En suivant des yeux la silhouette qui venait vers lui, l'ennemi de la lumière prit position au centre du portique. Il tendit son arc en attendant que son rival fût bien visible. Il allait décocher sa flèche lorsqu'un rugissement retentit dans son dos.

En entendant le cri du lion, Menna fut à la fois affolé et transporté de joie. La flèche de l'adorateur d'Apophis passa à une coudée de lui, mais il n'en sut rien. Après le rugissement, des hurlements humains se firent entendre. Menna s'approcha de l'entrée. Il abaissa le voile qui masquait ses traits avant de s'emparer d'une torche coincée entre deux pierres. Les cris de l'homme n'avaient pas cessé. Le lion émettait d'impressionnants grognements. D'un pas prudent, le protecteur de Leonis s'engagea dans le portique hypostyle. Il souleva la torche pour éclairer davantage la scène qui s'offrait à ses yeux.

Le lion était couché sur l'archer. Ce dernier ne pouvait plus remuer. Menna aperçut l'arc de l'homme qui gisait sur le sol. L'encolure blanche du félin était ornée du talisman des pharaons. Il avait les yeux verts. Les yeux de Leonis. Sur un ton amusé, le jeune soldat lança :

— Beau travail, mon ami. Il semble que nous ayons un prisonnier, maintenant !

En guise de réponse, le lion blanc rugit de nouveau. Suffoqué par le poids du grand fauve, le malheureux archer supplia Menna :

— Je… vous en prie, Monsieur… Ne laissez… pas… cette bête me… me dévorer.

Montu fit son entrée dans le portique. En entendant les rugissements du lion, les soldats de la garde royale avaient préféré demeurer à l'extérieur. Lorsqu'il vit la bête, le garçon sentit son cœur se gonfler de joie. Menna inséra le manche de la torche dans un trou. Il installa une flèche sur la corde de son arc et il dit, en s'adressant au lion :

— Tu peux partir, maintenant. Montu et moi allons surveiller ce vilain.

Le fauve se leva. En quelques bonds lestes, il disparut dans la cour de culte. Les compagnons de Leonis entendirent trois autres rugissements brefs. Tandis que Montu pointait sa flèche sur l'adorateur d'Apophis, Menna s'approcha du malheureux qui était toujours étendu à plat ventre. Il le délesta d'abord de son carquois. Les flèches qu'il contenait étaient probablement empoisonnées et la moindre éraflure aurait pu causer la mort. Le soldat défit la sangle de cuir du carquois et s'en servit pour lier les poignets de l'homme dans son dos. L'individu n'opposa aucune résistance. Il gémissait. En sautant sur lui, le grand fauve l'avait blessé. Quand Leonis pénétra dans le portique, une vague tristesse assombrissait sa figure. Il rejoignit Montu, l'enlaça et se retourna vers Menna qui aidait le captif à se relever. D'une voix ferme, mais navrée, Leonis déclara :

— Je m'excuse, mes amis. Je me suis jeté tout droit dans une embuscade. J'ai mis vos vies et le destin du monde en péril.

— Ce n'est rien, Leonis, répliqua Menna. Nous savons que ta sœur compte beaucoup pour toi. Si j'avais été à ta place, j'aurais certainement agi de la même manière.

— Comment avez-vous su que je devais me rendre ici ?

— Cet après-midi, pendant que nous cherchions les trous utilisés par l'espion, Raya a trouvé le message des adorateurs d'Apophis sous ton lit. Puisque ces scélérats te demandaient de venir seul, nous t'avons suivi de loin. Nous ne pouvions avoir la certitude que Tati ne serait pas là. Nous ne voulions pas risquer sa vie en nous faisant repérer. J'ai demandé à Neferothep de mettre deux de ses meilleurs archers à ma disposition. Le commandant nous attend non loin d'ici avec une troupe de quarante hommes. Quand nous sommes arrivés, tu entrais dans la clarté des feux... Huit de nos ennemis sont morts, Leonis. Nous ne pouvions faire autrement.

— Je comprends, Menna, soupira l'enfant-lion en ébauchant un sourire. Les abeilles doivent protéger la ruche.

Montu fit la moue. Sans joie, il baissa les yeux pour annoncer:

— Moi, mes amis, je connais une abeille qui vient de tuer sa première guêpe.

18
FLAGRANT DÉLIT

Le retour au palais royal s'était déroulé sans encombre. Le commandant Neferothep avait confié le prisonnier à des soldats. L'adorateur d'Apophis avait été enfermé dans le meilleur cachot du palais. En retirant la tunique du captif, on avait constaté qu'une empreinte au fer rouge marquait sa poitrine. Ce signe représentait un serpent étouffant le soleil dans ses anneaux. Cet homme faisait donc partie des troupes d'élite de Baka. Il était désormais sous bonne garde, mais il avait refusé de répondre aux questions qu'on lui avait posées.

En rentrant, Montu et Leonis avaient discuté de leur ancien contremaître Hapsout. Par quel fâcheux hasard cet exécrable personnage avait-il rejoint les ennemis de la lumière? À l'époque où il œuvrait sur le chantier du palais d'Esa, Hapsout ne connaissait certainement pas les adorateurs d'Apophis. Sinon, les hommes de Baka auraient été les premiers à mettre la main sur le sauveur de l'Empire. Dans son dos, Leonis portait la marque du lion. Cette tache de naissance était l'une des particularités qui le désignaient comme étant l'élu annoncé par l'oracle. Hapsout avait vu cette marque pendant des années. S'il avait su quelque chose à propos de l'enfant-lion, il n'aurait pu négliger un semblable détail. Cette réflexion avait incité Montu et Leonis à conclure que l'ancien contremaître n'était devenu un adorateur du grand serpent qu'après son expulsion du chantier.

Le lendemain, avec la complicité du commandant Neferothep, Leonis et ses compagnons avaient eu le loisir d'inspecter certaines pièces du palais. Ils avaient opéré dans le secret afin de se soustraire à la curiosité des domestiques. L'enfant-lion n'avait pas parlé des trous au chef de la garde royale. Il lui avait simplement dit que les recherches qu'il comptait mener avaient quelque chose à voir avec l'espion du palais. Neferothep n'avait pas demandé plus de précisions. Leonis, Menna et Montu avaient donc pu examiner dix pièces. Les quartiers privés de la famille royale n'avaient évidemment pas été visités. De toute manière, cela n'aurait servi à rien. Puisque chacune des salles qui avaient été explorées possédait au moins un orifice semblable à ceux découverts dans la maison de l'enfant-lion, il était aisé d'en déduire qu'aucune pièce de la grande demeure de Mykérinos n'échappait à cette règle.

Il y avait maintenant trois jours que Leonis s'était rendu à l'ancien temple de Ptah. Senmout ne se montrait plus. Afin que le traître ne se doute pas qu'on avait levé le voile sur sa façon de procéder, les jeunes gens avaient tenu une réunion dans la salle principale de la demeure du sauveur de l'Empire. En espérant que Senmout les épiait, ils avaient parlé de l'épisode de l'ancien temple. Ils avaient affirmé que l'homme qu'ils avaient fait prisonnier était sur le point de leur donner des renseignements importants sur les adorateurs d'Apophis. Si l'espion avait pu entendre cette conversation, il se serait sans doute empressé de faire parvenir un message à Baka. Après cette réunion, dans l'espoir de voir Senmout quitter l'enceinte, Leonis, Menna, Montu et les jumelles s'étaient postés à divers endroits des jardins. S'ils avaient aperçu le scribe, Menna aurait pu le suivre et le surprendre pendant qu'il livrait son message à l'ennemi. Malheureusement, ce piège n'avait rien donné.

Le soir était venu. Sous la lueur d'un flambeau, l'enfant-lion et ses amis bavardaient dans un joli pavillon qui s'élevait à proximité du grand bassin. En dépit des tristes événements qu'il avait récemment vécus, Leonis semblait heureux. Il s'inquiétait toujours pour sa petite sœur, mais il avait foi en Bastet. La déesse avait affirmé que Tati était heureuse et il s'efforçait de l'imaginer ainsi. Pour le reste, les choses allaient plutôt bien. Le traître était toujours libre, mais le sauveur de l'Empire avait la certitude que Senmout serait bientôt mis hors d'état de nuire. Lorsque cela serait fait, les ennemis de la lumière deviendraient beaucoup moins menaçants. L'enfant-lion pourrait alors partir en mission sans craindre d'être pris en filature par les hommes de Baka.

Au coucher du soleil, les jeunes gens s'étaient installés dans le pavillon. Depuis, ils discutaient en s'amusant des sentiments qui liaient Leonis et la princesse Esa. Mérit était en train de raconter aux autres l'épisode de la harpe. La servante s'exprimait avec éloquence. Elle accompagnait ses paroles de gestes et de mimiques désopilantes. Lorsqu'elle termina son récit, la bonne humeur s'était emparée du groupe. Montu laissa les rires s'éteindre avant de lancer :

— Avouez que la situation est étrange, mes amis. En épousant Esa, Leonis deviendrait le premier prince à avoir besogné comme esclave sur le chantier de son futur palais.

— Ce serait drôle, en effet, répliqua l'enfant-lion. Mais je ne crois pas que j'aimerais habiter un palais. Et puis, rien ne dit que Pharaon acceptera de m'accorder la main de sa fille.

— Allons, Leonis ! s'exclama Raya. Mykérinos serait prêt à tout pour plaire à Esa. Pourrait-il empêcher sa fille adorée d'épouser le meilleur harpiste des Deux-Terres ?

Une nouvelle cascade de rires succéda à cette phrase. Le calme revint et Raya dit, d'un air méditatif :

— Nous nous amusons bien, mais la vie est parfois triste… Mérit et moi avons accompagné Tcha à l'extérieur de l'enceinte aujourd'hui. Il y avait quinze ans qu'il n'avait pas vu un autre décor que celui des jardins. Il s'ennuie beaucoup depuis que ses quatre babouins sont en cage. Il nous a dit qu'il avait envie de faire une promenade dans Memphis. Il nous a demandé de lui tenir compagnie. Il fallait bien qu'il sorte un jour, mais, ce matin, les choses se sont plutôt mal passées.

— Qu'est-il arrivé ? demanda Menna.

— Vous savez tous qu'autrefois, Tcha a été torturé par les adorateurs d'Apophis. Lorsque Mykérinos est monté sur le trône, ses soldats ont découvert le pauvre bossu dans l'un des cachots du palais. Il était vraiment mal en point. Son corps était couvert de plaies. Quelques semaines plus tard, après sa guérison, Tcha a essayé de sortir de l'enceinte. Seulement, il n'a pu faire que quelques pas avant de s'évanouir. Depuis ce temps, il n'a jamais voulu quitter ces murs. Ce matin, Mérit et moi avons été étonnées par sa demande. Bien entendu, nous avons accepté avec joie de l'escorter. Nous étions cependant un peu craintives… En franchissant le portail, Tcha a salué les soldats du poste de garde. Nous nous sommes engagés dans la rue. Le pauvre homme regardait partout. Il tenait ma main dans sa main valide et j'ai cru qu'il me casserait les doigts tellement il les serrait fort. Il criait « Tcha marche dans la rue, jolie Raya et jolie Mérit ! Tcha marche dans la rue ! » Tout allait bien. Tcha a libéré ma main pour pointer du doigt une statue de babouin qui se trouvait devant le porche extérieur d'un petit jardin. La statue n'avait rien de bien remarquable, mais Tcha voulait l'examiner de plus près. Il disait qu'elle ressemblait à ses singes. Il l'a regardée et l'a touchée en souriant comme un enfant. Mérit et moi étions émues. Tcha a abandonné la statue et s'est retourné vers nous. Soudainement, son visage a changé d'expression. Il fixait quelque chose qui se situait derrière nous. Nous avons regardé à notre tour, mais il n'y avait rien ni personne d'inquiétant dans les environs. C'est à ce moment-là que Tcha a commencé à hurler. Il a dit que les adorateurs d'Apophis le surveillaient. Il a dit qu'ils voulaient l'enfermer et le torturer comme autrefois. Il s'est ensuite jeté par terre en pleurant. Ma sœur et moi avons eu de la difficulté à le reconduire au palais. Je crois bien qu'il ne quittera plus jamais l'enceinte, maintenant.

— C'est désolant, fit l'enfant-lion. Je n'ose pas imaginer ce que Tcha a dû subir pour ressentir autant d'effroi après toutes ces années. Cet homme finira sans doute ses jours dans l'enceinte du palais royal. Bientôt, nous lui permettrons de libérer ses singes…

Leonis baissa le ton pour continuer:

— Nous allons coincer Senmout. Je n'y songeais plus, mais, lors de ma rencontre avec Hapsout, cette canaille m'a dit que l'espion du palais se faisait appeler «l'Ombre» par les adorateurs d'Apophis.

En entendant ces paroles, Montu avait légèrement sursauté. Toujours en chuchotant, Leonis lui demanda:

— Qu'y a-t-il, mon vieux?

— Je… je n'en sais rien, mon ami, murmura le garçon. Lorsque tu as dit que

Senmout était l'Ombre, ça m'a vaguement rappelé quelque chose.

— Ce nom convient parfaitement à ce sombre individu, fit remarquer Menna. Il faudrait découvrir un moyen de pénétrer dans le tunnel qui passe sous la maison. À mon avis, nous devrions nous y introduire par le quartier des femmes. Le traître doit se rendre moins souvent dans cette section. Senmout ne nous espionne certainement pas durant notre sommeil. En creusant la nuit, nous risquerions moins de l'alerter. L'un de nous pourrait se cacher dans les souterrains pendant que les autres discuteraient dans la salle principale. Le traître finirait bien par se montrer.

— Tu as raison, Menna, approuva l'enfant-lion. Si nous comptons prouver que Senmout est l'Ombre, il faudra le piéger. Depuis que Montu l'a surpris, il se méfie et on ne le voit plus dans les environs. Cet homme est habile. Il a commis une erreur, mais il ne recommencera pas de sitôt. Demain soir, nous commencerons à creuser. Par la suite, il faudra faire en sorte de camoufler notre travail. Si l'Ombre n'examine pas toutes les sections de ses tunnels, nous aurons une chance de l'attraper. Par contre, s'il découvre notre passage, il saura tout de suite que nous connaissons son secret.

— Si cela arrivait, dit Montu, il serait presque impossible de prouver que le scribe Senmout est un traître. Lorsqu'il sera privé de ses souterrains, il ne pourra plus accomplir sa sale besogne comme avant. Nous aurons au moins gagné sur ce point. Seulement, j'aimerais bien qu'il soit condamné pour ses actes. Il serait injuste qu'une telle crapule parvienne à s'en sortir.

Leonis se leva.

— Je vais rentrer, annonça-t-il. J'irai dans le quartier des femmes pour décider de l'endroit où nous creuserons. Il faudra également dénicher de bons outils pour exécuter ce travail.

— Je t'accompagne, fit Menna.

L'enfant-lion et le soldat quittèrent le pavillon. Montu et les jumelles décidèrent de passer encore un moment dans l'air frais et parfumé des jardins. Sans dire un mot, Leonis et Menna se dirigèrent vers la maison. Ils pensaient tous les deux au scribe Senmout. Ils tentaient individuellement d'élaborer un plan infaillible pour le forcer à se compromettre. Ils n'auraient pu croire que, quelques instants plus tard, Senmout lui-même leur apporterait la preuve incontestable de sa fourberie.

Menna fut le premier à apercevoir l'homme. Il posa la main sur le bras de Leonis pour lui intimer l'ordre de ne plus bouger.

Malgré l'obscurité, l'enfant-lion vit que son compagnon pointait quelque chose du doigt. L'adolescent regarda dans cette direction et il remarqua aussitôt la silhouette aisément identifiable du scribe. Ce dernier rasait le mur de la demeure. Senmout s'arrêta devant la chambre du sauveur de l'Empire. Il hésita un peu et enjamba le rebord de la fenêtre pour se couler à l'intérieur. Leonis et Menna se séparèrent pour aller se poster de chaque côté de l'ouverture. Les bruits provenant de la pièce leur indiquaient que Senmout fouillait les lieux. Au bout d'un moment, ils perçurent un grognement étouffé. L'homme avait sans doute mis la main sur l'objet qu'il était venu chercher. Senmout enjamba de nouveau le rebord de la fenêtre. Il faillit mourir de peur lorsque Menna bondit sur lui. L'homme jeta un cri de canard effarouché. Il se débattit, mais la force du soldat surpassait de loin la sienne. Il se retrouva rapidement plaqué contre le mur. Sa joue s'écrasait sur la brique crue et Menna lui maintenait douloureusement les bras dans le dos. Leonis s'approcha de lui. Sur un ton amusé, il déclara :

— Avez-vous trouvé ce que vous cherchiez, scribe Senmout ?

— Ordonne à ton stupide soldat de me lâcher, minable ! Sinon, vous allez le payer cher !

Les mots de Senmout furent suivis d'un hurlement. Menna avait accentué la pression de sa clé de bras. D'une voix faussement désolée, le soldat répliqua:

— Veuillez m'excuser, honorable scribe Senmout. Je suis si stupide que je ne connais pas ma force.

— Je vais chercher Neferothep, dit Leonis. Cette fois, Senmout, vous ne pourrez pas vous défiler. Vous venez de nous prouver que vous êtes l'Ombre.

— Je ne sais pas de quoi tu parles, pouilleux! S'il y a des ombres, c'est vous! Votre insignifiance vient assombrir la majesté de ce palais! Libérez-moi tout de suite, insectes répugnants. Le vizir…

En raison de la cuisante douleur que lui fit de nouveau subir la prise adroite de Menna, Senmout cria encore. La rage au cœur, le détestable scribe préféra ensuite s'astreindre au silence.

19
LE CACHOT POUR SENMOUT

Leonis, Montu, Menna et le commandant Neferothep venaient d'entrer dans le bureau du scribe Senmout. La veille, ce dernier avait été conduit au cachot. L'homme avait protesté avec véhémence. Il avait juré à Neferothep qu'il perdrait le commandement de la garde royale pour avoir osé l'humilier de la sorte. Le militaire avait tenté de lui faire entendre qu'il ne pouvait agir autrement. Le scribe venait de s'introduire dans la demeure de l'enfant-lion sans y être invité. Il s'agissait d'un délit, et, avant de le libérer, il faudrait tirer au clair les motifs qui l'avaient poussé à se comporter ainsi. Le scribe avait refusé de dire pourquoi il était entré dans la chambre de Leonis. Devant le commandant, il avait même nié son intrusion dans la demeure du sauveur de l'Empire. Il avait affirmé que

Menna lui était tombé dessus dans les jardins, et que les autres avaient inventé cette histoire pour lui causer du tort. Le sauveur de l'Empire et ses compagnons avaient rapidement exploré la chambre. Ils n'avaient toutefois rien découvert de suspect. Senmout n'avait rien volé. Avait-il voulu assassiner l'enfant-lion ? Pensait-il que Leonis dormait au moment où il s'était glissé dans la maison ? Rien n'était impossible. Senmout portait un poignard lorsque Menna l'avait maîtrisé. Sa lame n'était pas très longue, mais elle l'était suffisamment pour tuer un homme. Neferothep avait été mis au courant à propos des souterrains. Leonis avait aussi raconté au commandant que, quelques jours auparavant, Montu avait surpris le scribe en train de les espionner. À la lumière de ce récit, Neferothep avait tout de suite partagé les soupçons des jeunes gens.

Le bureau du scribe Senmout était un endroit sans attraits. On ne pouvait cependant contester l'ordre et la propreté qui prévalaient dans ce décor sobre. Les nattes qui recouvraient le sol étaient neuves. Sur une table, des rouleaux de papyrus étaient soigneusement rangés. D'une paire de pots de faïence reposant par terre, des calames bien affûtés jaillissaient en faisceaux. En observant ce lieu, Leonis fit remarquer :

— Senmout est très méticuleux. J'ai l'impression que nous aurons de la difficulté à prouver qu'il est l'espion. Nous serons chanceux si nous trouvons le moindre indice dans cette pièce.

— Senmout n'utilise presque jamais ce bureau, expliqua Neferothep. La proximité du quartier des domestiques le dérange. Il possède une belle demeure dans la capitale. C'est là qu'il travaille la plupart du temps.

Leonis se pencha pour plonger les yeux dans un récipient cylindrique rempli d'éclats de calcaire. Il prit l'un des innombrables morceaux de pierre pour déchiffrer les hiéroglyphes qui y étaient gravés.

— Qu'est-ce que c'est? demanda Montu.

— Rien, répondit Leonis. Ces éclats de calcaire servent à prendre des notes. Senmout est économe. Il se sert de ces débris pour éviter d'utiliser du papyrus lorsqu'il n'est pas nécessaire de le faire. Mon père Khay faisait la même chose.

Leonis se redressa. Il se dirigea vers une table où s'alignaient de nombreux rouleaux. Il en parcourut une vingtaine sans rien découvrir d'intéressant. Il s'agissait principalement de listes concernant des denrées et des accessoires. Quelques feuilles avaient été utilisées pour évaluer la solde de certains soldats de la garde royale. Montu, Menna et Neferothep ne savaient pas lire. Ils devaient donc se contenter d'observer l'enfant-lion qui déchiffrait les symboles en marmonnant. Leonis déploya un autre papyrus. En constatant qu'il le tenait à l'envers, il pouffa. Il le remit à l'endroit et ses compagnons virent l'étonnement descendre sur ses traits. D'une voix fébrile, Leonis annonça:

— Je viens de trouver ce que nous cherchions, mes amis!

À voix haute, il lut:

«Veuillez me pardonner, maître Baka. Ils sont sur ma piste. Ma présence au palais est devenue risquée. Je ne pourrai plus les épier en me cachant dans les jardins. Ils m'ont surpris. Je reprendrai ma mission plus tard.

Senmout.»

— Nous tenons ce traître! triompha Menna.

— Grâce à vous, nous avons enfin démasqué cet infâme espion! s'exclama Neferothep.

— Pour dire vrai, rétorqua Leonis, Senmout nous a donné un appréciable coup de main, mes amis. J'ai bien hâte de voir sa réaction lorsque nous lui montrerons ce message.

Ils souriaient tous. Sauf Montu. Le garçon se grattait la tête d'un air songeur. Sur un ton calme, il demanda:

— Dis-moi, Leonis. Sur ce message, peux-tu reconnaître l'écriture du scribe Senmout?

— Il n'y a pas de doute, mon vieux. Senmout a une façon particulière d'écrire. Tu ne sais peut-être pas lire, mais il n'est pas difficile de constater que l'écriture qui se trouve sur ce manuscrit est la même que celle de tous ceux qui sont sur cette table.

L'enfant-lion déploya un rouleau pour comparer les symboles. Les hiéroglyphes tracés sur les deux papyrus étaient, selon toute vraisemblance, l'œuvre d'une seule et même personne. En affichant un air convaincu, Montu hocha la tête.

Les cachots du palais royal avaient été aménagés durant le règne de Baka. À l'origine, ce sombre lieu ne comptait que trois cellules grossièrement creusées dans la pierre. Pour y accéder, il fallait emprunter un escalier rudimentaire qui s'enfonçait dans le sol. On longeait ensuite un couloir pour atteindre la pièce rectangulaire dans laquelle se situaient les niches étroites destinées aux prisonniers. Les portes de ces cellules étaient constituées de barreaux de bois solidement fixés ensemble par des attaches de bronze.

Un autre passage menait à un cachot plus vaste qui, quelques années auparavant, avait été conçu dans le but exclusif de mettre à l'épreuve le sauveur de l'Empire. La porte de cette pièce était un épais et hermétique assemblage de planches. Une lourde traverse de métal retenait ce panneau en place. Leonis avait passé quelques désagréables heures dans cette cellule au plafond haut. Ce jour-là, par des trous percés dans la cloison de granit, il avait vu des centaines de cobras s'infiltrer dans la prison. Les serpents l'avaient miraculeusement épargné. On lui avait alors signifié qu'il était l'élu annoncé par l'oracle. L'ancien cachot de Leonis servait maintenant à enfermer l'adorateur d'Apophis capturé dans les ruines du temple de Ptah. Il n'y avait plus le moindre cobra à l'intérieur. Toutefois, cette pièce était assez sinistre pour exhorter le plus courageux des hommes à passer aux aveux. Le commandant Neferothep espérait que l'archer de Baka leur apporterait des renseignements sur les ennemis de la lumière. Pour le moment, le prisonnier ne disait rien. Il suffisait d'être patient. La solitude, la pénombre et la privation finiraient sans doute par avoir raison de son mutisme.

Senmout, lui, était séquestré dans l'une des vieilles cellules. Un soldat le surveillait. Lorsque Leonis et ses compagnons firent leur entrée dans la pièce qui renfermait les trois cachots, le gardien lança à Neferothep :

— Vous arrivez au bon moment, commandant ! J'étais sur le point d'étrangler cet homme ! Depuis que j'ai pris mon tour de garde, il ne cesse de m'insulter !

— Je n'en doute pas, Siptah, répondit Neferothep. Le venin que crache Senmout ferait mourir d'envie un scorpion. Va prendre l'air. Nous devons discuter avec le captif.

Sans se faire prier, le soldat quitta la salle souterraine. L'enfant-lion s'approcha du cachot. Senmout était debout devant les barreaux de sa cellule exiguë. Son regard était chargé de haine. Leonis lui adressa un sourire avant de l'interroger:

— Que faisiez-vous dans ma chambre, scribe Senmout?

— Je ne suis jamais entré dans ta chambre, misérable. Vous avez tout manigancé pour m'empêcher de faire mon travail. Vous voulez me chasser du palais parce que vous savez que je vous ai à l'œil. Maintenant que je suis enfermé, vous devez bien vous amuser.

Senmout toisa Neferothep avant de poursuivre:

— Et vous, stupide soldat, vous trouverez la situation moins drôle lorsque ces vandales auront rendu ce palais invivable. Il ne faut pas croire ce qu'ils vous disent. Ce ne sont que des voleurs. De petits vauriens qui prendront tout ce qu'ils pourront jusqu'à ce que Pharaon réalise son erreur. Moi, je sais que Leonis n'est pas le sauveur de l'Empire et...

— Ça suffit, Senmout ! trancha le commandant. Nous possédons maintenant la preuve que vous êtes un traître !

Neferothep exhiba le rouleau de papyrus compromettant qui venait d'être découvert dans le bureau du scribe. Senmout sourcilla et colla sa figure aux barreaux pour examiner l'objet. Avec une grimace incrédule, il demanda :

— Qu'y a-t-il sur ce papyrus ?

Leonis prit le rouleau et le déploya de manière à ce que Senmout pût le lire. Le scribe émit un rire sarcastique avant de déclarer :

— Pauvre minable. Tu es tellement abruti que tu ne sais même pas tenir un papyrus à l'endroit !

Calmement, Leonis rectifia la position de la feuille. Le scribe la parcourut du regard. L'anxiété se dessina sur sa figure. Il se racla la gorge et dodelina de la tête. D'une voix apeurée, il s'exclama :

— Je n'ai pas écrit ce message !

— Il s'agit pourtant de votre écriture, scribe Senmout, indiqua Leonis.

— C'est un coup monté ! Quelqu'un a imité mon écriture ! Vous voulez me faire chasser du palais ! Ce message n'est pas mon œuvre, commandant Neferothep ! Ne croyez pas ces voyous ! Je n'ai jamais écrit cela !

— C'est ça, Senmout, dit Menna. Vous n'avez pas écrit ce message et, hier soir, vous ne vous êtes pas introduit dans la chambre de Leonis. Vous n'avouerez sans doute jamais que vous êtes l'Ombre. Malgré tout, vous ne vous en sortirez pas. Leonis est le sauveur de l'Empire. Pour Mykérinos, ce garçon est plus important que tous les fonctionnaires du royaume. Il a rapporté le talisman des pharaons et il a retrouvé trois des douze joyaux de la table solaire. À ses côtés, nous avons combattu et vaincu plusieurs meutes d'adorateurs d'Apophis. Leonis a prouvé qu'il était l'enfant-lion. Quant à vous, détestable Senmout, vous avez prouvé que vous êtes un traître. De plus, nous connaissons l'existence de vos souterrains. Allez-vous prétendre que vous ne savez rien de ces tunnels qui passent sous le palais?

Senmout alla s'asseoir au fond de sa cellule. En se massant la figure avec énergie, il soupira:

— Je n'ai jamais entendu parler de ces tunnels. Mais peu importe ce que je dirai. Votre complot semble parfait. J'espère seulement que le vizir comprendra que je suis victime d'une machination perverse.

Ils abandonnèrent Senmout à la solitude des cachots. Selon Neferothep, le scribe finirait par tout avouer. Dans les jardins, ils aperçurent Tcha qui arrosait un tapis de coquelicots. Le bossu les salua. Le pauvre bougre semblait heureusement remis des émotions qui l'avaient secoué la veille. Neferothep gagna le poste de garde. Leonis et ses amis marchaient dans l'allée principale lorsque Montu se frappa le front en s'écriant:

— Ça y est! Je me rappelle! Ce serait tout de même incroyable!

— Que se passe-t-il, mon vieux? questionna Leonis. Qu'est-ce qui serait incroyable?

— Heu… Je ne peux rien dire pour l'instant, mon ami. Un souvenir vient de me traverser l'esprit. C'est peut-être important, mais il y a trop de détails curieux dans cette histoire pour affirmer quoi que ce soit. Peux-tu me prêter le papyrus que nous avons trouvé dans le bureau du scribe?

L'enfant-lion tendit le rouleau au garçon. Montu dit à voix basse:

— Je dois aller visiter ta chambre, Leonis. Je veux savoir ce que Senmout est allé y faire. En attendant, restez dans les jardins. Je dois trouver Raya et Mérit pour qu'elles jettent un œil sur ce papyrus. Elles connaissent les écritures et je veux qu'elles me montrent quelque chose.

— Je te rappelle que je sais lire, Montu, lança Leonis.

— Je le sais, mon vieux. Seulement, toi, tu m'as déjà montré ce que je voulais voir.

Montu tourna les talons. Devant les yeux étonnés de ses camarades, il se précipita vers la demeure du sauveur de L'Empire.

20
LA FIN DE L'OMBRE

Montu avait trouvé ce qu'il cherchait. En fait, il avait trouvé encore mieux. Leonis avait été stupéfait par la découverte de son ami. Mérit et Raya avaient examiné le papyrus. Encore une fois, les doutes de Montu s'étaient confirmés. Un peu plus tard, le garçon avait demandé aux jumelles de sortir de l'enceinte du palais pour aller vérifier quelque chose d'important. Le repas du soir avait été servi dans les jardins. Montu avait alors entretenu ses compagnons des résultats de son enquête. Les autres avaient été renversés par ses conclusions. Menna s'était rendu au poste de garde pour transmettre ces révélations à Neferothep. En les écoutant, le commandant s'était presque étouffé avec le pain qu'il mangeait.

Tout était maintenant en place. Une réunion avait été organisée dans la salle principale. Elle durait depuis environ une heure.

Leonis avait longuement parlé de Senmout en expliquant que, sans les nombreuses erreurs qu'il avait commises, le scribe n'aurait certainement pas été emprisonné. Montu avait dit que cet homme méritait d'être lapidé. Menna avait exprimé sa joie de savoir que l'espion du palais avait enfin été démasqué. Le commandant Neferothep était également présent dans la salle principale. Il avait affirmé que le scribe Senmout ne survivrait pas à la justice implacable des juges de l'Empire. Selon lui, ce scélérat serait certainement momifié vivant. Pendant ce temps, sous la salle principale, l'Ombre trépignait de plaisir. Là-haut, la conversation se poursuivait. Leonis déclara:

— Maintenant, les adorateurs d'Apophis n'auront plus de renseignements sur nous.

— En effet, dit Neferothep. La situation tourne en notre faveur. Je dois vous annoncer que l'archer de Baka a enfin parlé. Nous savons maintenant où se cache le maître des adorateurs d'Apophis. Dans quelques jours, les armées de l'Empire prendront son repaire d'assaut.

Dans l'obscurité de son tunnel, l'espion tressaillit. Il tendit l'oreille de nouveau pour avoir plus de précision sur le jour de l'attaque. Toutefois, il n'apprit rien de plus. Menna s'était lancé dans un interminable discours sur les beautés de la guerre. L'Ombre l'écouta durant un long moment. Il se rendit soudain à l'évidence qu'il devait tout faire pour envoyer un message à Baka le plus rapidement possible. À la hâte, il quitta le tunnel et rejoignit le couloir principal des souterrains. Il se dirigea vers la sortie qui donnait dans sa modeste demeure située dans le quartier des domestiques. Le trajet pour s'y rendre était assez long. L'Ombre grimpa quelques échelons métalliques grossièrement enfoncés dans la pierre. Sans forcer, il souleva la trappe qui s'ouvrait dans son modeste logis. Il entra, remit le panneau en place et il le recouvrit d'une natte de jonc. Une lampe brûlait dans la masure, mais il ne s'aperçut de la présence de Leonis qu'au moment où celui-ci prononça:

— Bonsoir, Tcha.

Le bossu se retourna. Leonis et Neferothep s'avancèrent dans la clarté jaunâtre de la lampe. Tcha jeta un regard en direction de la cage dans laquelle étaient emprisonnés ses singes. Pour les obliger à demeurer silencieux, Montu offrait des figues aux primates. Les babouins avaient les joues gonflées et, en touchant le gros sac de fruits charnus que tenait ce généreux garçon, ils indiquaient qu'ils en voulaient plus. Tcha passa sa main gauche dans ses cheveux hirsutes. Il demeura un instant interdit avant de laisser libre cours à un long rire rauque et sonore. Il se calma un peu et secoua la tête comme s'il ne voulait pas admettre qu'il était démasqué. Avec une élocution que les autres ne lui connaissaient pas, il déclara :

— Vous m'avez bien eu, Messieurs. Pendant que Menna parlait sans s'arrêter dans la salle principale, vous vous êtes précipités ici. Dire que je croyais que cet imbécile de Senmout allait être condamné.

— Tu es vraiment très habile, Tcha, le complimenta l'enfant-lion. Pendant des années, tu as joué le rôle d'un homme stupide. Comment aurions-nous pu croire que tu savais écrire ? De plus, tu ne quittais jamais l'enceinte parce que tu avais beaucoup trop peur des adorateurs d'Apophis. L'Ombre se cachait derrière de nombreux masques : l'ignorance, la peur, la gentillesse, l'enfermement volontaire entre les murailles qui entourent ce palais et, pour finir, un faux passé triste à pleurer.

Montu enchaîna :

— Ces masques ne seraient pas tombés aussi vite si, le jour où j'ai surpris Senmout dans les jardins, tu n'avais pas commis une grossière erreur. Est-ce que tu t'en souviens, Tcha ?

— Bien sûr que je m'en souviens, avoua le bossu. J'ai dit : « Si monsieur Senmout est l'Ombre, il faut qu'il arrête de faire le mal.» Cette ridicule phrase me hante depuis que je l'ai prononcée. Puisque aucun d'entre vous ne savait que l'espion s'appelait l'Ombre, comment pouvais-je le savoir? J'étais presque parvenu à me convaincre que, ce jour-là, personne n'avait noté mon erreur.

— Nous avons bien failli ne rien remarquer, confessa Montu. Toutefois, cet après-midi, lorsque je t'ai vu travailler dans les jardins, cette phrase m'est revenue. Il y a quelques jours, nous avons affronté nos ennemis dans les ruines du temple de Ptah. L'un d'eux a dit à Leonis que l'espion se faisait appeler «l'Ombre» par les adorateurs d'Apophis. Lorsque Leonis m'a révélé ce détail, j'ai sursauté parce que ce nom me rappelait vaguement quelque chose. Aujourd'hui, le lien s'est fait dans mon esprit.

— Montu est brillant, Tcha, affirma l'enfant-lion. Tu nous avais déjoués avec le papyrus que tu as déposé dans le bureau de Senmout. Tu as probablement vu le scribe prendre le chemin des cachots. Tu as voulu profiter de l'occasion en écrivant un message qui l'incriminerait.

— Senmout a agi en imbécile, fit Tcha. Vous l'aviez déjà surpris dans les jardins. Hier, il s'est fait prendre une seconde fois pendant qu'il s'introduisait dans ta maison. J'ignore quels étaient ses motifs, mais, en agissant ainsi, il me simplifiait la tâche. Il ne me restait presque rien à faire pour qu'il croupisse dans un cachot jusqu'à sa mort. J'ai imité son écriture et j'ai glissé le message dans son bureau. Les symboles étaient pourtant identiques. Comment avez-vous fait pour deviner que ce papyrus n'avait pas été écrit par lui ?

— C'est simple, Tcha, déclara Montu. Nous savions que Baka appelait l'espion « l'Ombre », mais le papyrus portait le symbole de Senmout. J'ai trouvé cela étrange. À mon avis, il aurait été normal que le traître utilise son nom d'espion dans un message adressé à Baka. Ensuite, le papyrus disait : « Je ne pourrai plus les épier en me cachant dans les jardins. » Cette phrase n'était pas logique. Nous étions au courant que l'Ombre n'avait pas besoin des jardins pour nous espionner. Il n'en avait pas besoin parce qu'il utilisait des souterrains pour accomplir sa sale besogne. Ces mots n'avaient pas plus de sens que les autres. Ton message était truffé d'indices. Malgré tout, mes amis n'ont rien remarqué. À ce moment, je me doutais déjà que Senmout n'était pas l'espion. Je n'ai rien dit à personne. J'avais d'abord besoin de vérifier certaines choses.

— Quand avez-vous découvert mes souterrains ?

— Il y a quelques jours, répondit Montu. J'étais assis dans la salle principale et j'ai vu de la lumière dans le trou que tu utilisais pour écouter nos conversations. Nous connaissons l'emplacement de chacun de tes trous d'espion, Tcha. Tu avais des oreilles partout.

— Il m'arrive d'oublier d'éteindre ma lampe, souffla le bossu en haussant ses épaules inégales. Pour ce qui est du message, il t'indiquait peut-être que Senmout n'était pas l'espion, mais, l'autre jour, dans les jardins, si je n'avais pas commis l'erreur de prononcer le nom de l'Ombre, je suis certain que vous ne m'auriez jamais démasqué. Je surveille mes souterrains régulièrement. Si vous aviez tenté d'y pénétrer, je m'en serais vite rendu compte. J'aurais alors provoqué l'effondrement de quelques galeries et vous n'auriez pu savoir que mon réseau débouchait ici.

Montu fit quelques pas dans la pièce sombre et effleura la main d'un babouin qui réclamait des figues. Le garçon ébaucha un sourire triomphant avant de répliquer :

— Tu te trompes, Tcha. J'aurais tout de même fini par te coincer. Mon souvenir a juste accéléré les choses. Puisque je me doutais que le scribe n'était pas celui que nous cherchions, je devais découvrir la raison pour laquelle il s'est glissé dans la chambre de Leonis. Je connais cette raison, maintenant. Senmout n'est pas innocent. Ce qu'il a fait est ignoble. Toutefois, en le faisant, ce détestable personnage a simplement démontré qu'il était jaloux à en mourir de l'enfant-lion. Senmout est abject, mais il n'est pas un espion…

Montu se dirigea vers Leonis. Le sauveur de l'Empire lui tendit le papyrus découvert dans le bureau du scribe. Montu revint vers le bossu ; puis, en exhibant le rouleau, il poursuivit :

— Revenons-en à toi, mon cher Tcha. Après avoir prouvé que Senmout n'avait rien à voir avec les adorateurs d'Apophis, je n'aurais mis que très peu de temps avant de te démasquer. Les symboles qui se trouvent sur ce papyrus sont une imitation parfaite de l'écriture de Senmout. Tu es très habile. Le seul problème, c'est qu'en raison de ton infirmité, tu dois écrire de la main gauche. Senmout est droitier. Tous les scribes du royaume sont droitiers. Les symboles n'auraient pas été différents s'ils avaient été écrits par Senmout. Seulement, cet après-midi, Leonis a déployé deux fois le rouleau à l'envers. Raya et Mérit ont fait la même chose lorsque je leur ai demandé de lire ton message. Mes amis sont droitiers. Un droitier doit étaler le papyrus en partant de la droite et utiliser sa main gauche pour retenir le reste du rouleau.

Toi, tu es forcé de faire le contraire. En déroulant ton message de la manière habituelle, les écritures se retrouvent donc dans le mauvais sens.

— Tu es perspicace, Montu. Mais je ne suis certainement pas l'unique gaucher du royaume.

— Tu es le seul gaucher que nous connaissons, Tcha. Il en existe peut-être d'autres parmi tous les gens qui œuvrent dans l'enceinte du palais. Toutefois, les scribes ne sont jamais gauchers. Selon ce que m'a dit Leonis, ceux qui enseignent les écritures ne tolèrent pas les gauchers. Un scribe qui écrit de la main gauche le fait parce qu'il n'a pas le choix de le faire. Tu corresponds à ce profil, mon vieux. Même en jouant ton rôle d'imbécile, tu n'aurais pas pu nous berner longtemps.

— J'ai berné tout le monde pendant quinze ans, Montu. Il faut dire que vous n'habitiez pas l'enceinte... Vous m'avez démasqué et vous méritez votre victoire. N'empêche. Je dois me faire vieux pour avoir commis autant d'erreurs en aussi peu de temps.

— Pourquoi es-tu de leur côté, Tcha ? demanda Leonis. Pourquoi es-tu devenu un adorateur d'Apophis ? Même si tu es l'Ombre, je suis certain que tu n'es pas comme eux.

— La raison pour laquelle je suis devenu un ennemi de la lumière est pourtant évidente, Leonis. Je déteste le monde. Je vous déteste, toi et tes amis. Vous êtes beaux. Le monde est beau. Vous vénérez le dieu-soleil pour les bienfaits qu'il vous apporte. Moi, je hais le dieu-soleil. Il a fait de moi un monstre. Vous, vous n'avez pas à subir les regards, les rires, le dégoût et la pitié des autres. J'endure le mépris depuis ma plus tendre enfance. J'ai joué le rôle d'un abruti et vous m'avez tous cru. Vous m'avez cru parce que, dans vos esprits, un pauvre type comme moi ne pouvait être autre chose qu'un sombre crétin. Autrefois, j'ai bel et bien été capturé par les adorateurs d'Apophis dans le delta. Les soldats qui m'ont emmené de force à Memphis voulaient que je divertisse Baka. Il y avait longtemps que je savais écrire. Un vieil homme m'a instruit. Quand j'étais petit, je voulais prouver aux gens de mon village qu'il y avait un bon fruit sous mon affreuse écorce. C'était inutile. Au marché, on rejette tout de suite les fruits qui ne sont pas beaux…

Tcha s'interrompit un moment. Il fixait la flamme de la lampe. Il semblait perdu dans ses souvenirs. Les autres restèrent silencieux. Le bossu continua :

— En arrivant au palais, j'ai égayé le pharaon Baka pendant une ou deux saisons.

J'avais dressé un couple de lévriers qui accomplissaient des prouesses extraordinaires. Je peux dresser presque tous les animaux. C'est un don. Baka m'appréciait. En sachant que je connaissais les écritures, il m'a demandé de devenir l'un de ses scribes. Baka m'a respecté mieux que personne ne l'a jamais fait. Il voulait voir le monde devenir laid et j'étais d'accord avec lui. Quelques jours avant d'être chassé du trône d'Égypte, mon maître m'a proposé de devenir espion. J'ai accepté. On m'a enfermé dans un cachot et, afin de faire croire à ceux qui me découvriraient que les adorateurs d'Apophis m'avaient torturé, je me suis moi-même infligé des blessures. Je suis resté trois semaines dans le cachot. J'avais de l'eau, mais très peu de nourriture. Lorsqu'on m'a trouvé, j'étais vraiment mal en point. Pas autant que les soldats de Mykérinos l'ont cru, cependant... À l'époque du règne de Baka, j'avais dressé quelques pigeons. Ces oiseaux étaient capables de livrer des messages dans tous les nomes de l'Empire. Quelques mois après son expulsion du trône, Baka m'a envoyé l'un de nos messagers volants. Nous avons communiqué ainsi pendant deux ans. Les gens du palais admiraient mes talents de dresseur. En prétextant que je voulais préparer des numéros destinés au pharaon, j'ai demandé des singes. On m'a alors offert Abi, To, Ti et Toui. Je les ai dressés pour qu'ils transportent mes missives à l'extérieur de l'enceinte. Je leur montrais évidemment d'autres tours pour justifier leur présence à mes côtés...

Le bossu suspendit son récit. Menna venait de faire son entrée dans le modeste logis. Tcha le salua d'un signe de la tête. L'enfant-lion prit la parole :

— En constatant que tu étais l'Ombre, l'évidence nous est apparue. Senmout a fait emprisonner tes babouins. Il trouvait sans doute que leur présence n'était pas convenable dans les jardins du palais. Tu ne pouvais donc plus faire parvenir tes messages à Baka. Hier matin, tu as dit aux jumelles que tu comptais sortir de l'enceinte pour la première fois en quinze années. Tu ne voulais pas éveiller les soupçons en sortant seul. Tu les as donc priées de t'accompagner. La balade se déroulait bien jusqu'au moment où tu as feint un accès de terreur... Montu a demandé à Raya et à Mérit d'aller examiner la statue de babouin que tu observais avant de commencer à hurler d'effroi. Les filles ont découvert un orifice dans le socle de cette statue. Hier, si tu tenais tant à sortir, c'était dans le but de livrer un message à tes alliés. Après avoir détourné l'attention des jumelles, tu as glissé ton message dans le trou. Nous n'avons pas trouvé ce papyrus, Tcha. Je tiens cependant à te dire que le propriétaire de la maison, celle devant laquelle se trouve la statue, a été appréhendé par les soldats. En livrant ton dernier message, tu nous as livré un autre de nos ennemis.

— C'est dommage, dit Tcha. Seulement, maintenant que je suis démasqué, cet homme n'a plus d'importance pour les adorateurs d'Apophis. Le vieux Ramosé est un ancien domestique de Baka. Il y a longtemps, je lui ai montré à dresser les pigeons sans savoir que ce serait utile un jour. Avant la chute du maître, je lui ai confié quelques oiseaux. Il habitait non loin du palais et il pouvait servir d'intermédiaire entre Baka et moi. Quand Abi, To, Ti et Toui ont été prêts à transporter mes messages, je leur ai montré à reconnaître une odeur particulière. Ramosé a préparé ce mélange. Mes singes ont fait quelques sorties nocturnes avant de trouver sa maison. Lorsqu'ils ont flairé l'odeur, ils savaient à quel endroit se rendre. Ramosé ne sait presque rien des adorateurs d'Apophis. Il ne sait pas lire et son rôle consistait simplement à envoyer mes messages à Baka. Vous aurez beau le torturer, il ne vous apprendra rien.

— Tu dois maintenant m'accompagner, mon vieux Tcha, annonça Neferothep sur un ton empreint de tristesse.

— Je vais vous suivre sans résister, commandant. Mais, si vous le permettez, j'aimerais offrir une dernière petite douceur à mes singes. Dans la solitude des cachots, mes petites fripouilles vont me manquer.

— Tu peux y aller, Tcha, répondit le chef de la garde royale.

Le bossu se pencha pour prendre un récipient qui se trouvait sur le sol parmi une foule d'autres objets. Il se redressa et se dirigea vers la longue cage des quatre babouins. Il caressa chacune des bêtes avec tendresse avant de retirer le couvercle du pot. Le malheureux puisa dans le récipient pour en sortir quelques fruits desséchés. Les babouins lancèrent des cris stridents pour réclamer leurs friandises.

— Voilà, mes petites fripouilles, dit Tcha, en donnant un fruit à chacun des primates. Vous êtes tellement gourmands que vous mangeriez n'importe quoi !

Abi, To, Ti et Toui eurent vite fait d'avaler l'offrande que leur faisait leur maître. Ce dernier se retourna vers les autres. En souriant, il lança :

— Mes petites fripouilles mangent vraiment n'importe quoi. Ces fruits sont gorgés de venin de cobra. Ils sont sans doute très amers, mais ces goinfres les ont dévorés sans rien remarquer.

Après ces paroles, les singes commencèrent à s'agiter. Ils se mirent à crier à tue-tête en se cognant aux barreaux de leur cage. D'une voix forte, Tcha expliqua:

— Ils souffrent, mais ce sera vite fait. Cela me désole, car je les aimais bien. Je ne pouvais pas agir autrement. Que seraient-ils devenus sans moi?

Le sauveur de l'Empire et ses compagnons étaient pétrifiés par l'horreur de la scène. Heureusement, Tcha avait dit vrai. Les babouins cessèrent vite leur intolérable vacarme. Abi, To, Ti et Toui moururent presque simultanément. En hochant la tête de gauche à droite, Tcha observa longuement leurs cadavres. Des larmes roulaient sur ses joues.

— Ils étaient vraiment de bons amis, dit-il, en se raclant la gorge. Vous venez d'assister à leur dernier numéro.

Le bossu fit quelques pas et s'immobilisa devant Neferothep. Dans un souffle, il déclara:

— Je n'ai pas envie de finir ma triste existence dans un cachot, commandant.

Ces mots furent les derniers du bossu. Après les avoir prononcés, Tcha croqua dans un fruit empoisonné.

21
LE NŒUD D'ISIS

Avec un bâton, Leonis heurta les barreaux de la cellule de Senmout. L'homme s'éveilla en sursaut et s'assit péniblement sur sa natte. Ses membres le faisaient souffrir. Il se frotta les yeux et vit l'enfant-lion qui se tenait devant le cachot. Sans se lever, le prisonnier proféra :

— Que me veux-tu, jeune imbécile ? Vous m'avez déjà privé de mon lit. Est-ce que vous comptez maintenant me priver de sommeil ?

— J'avais simplement envie de vous rendre une petite visite, scribe Senmout. J'adore discuter avec vous ! Vous êtes tellement chaleureux !

Le captif ne riposta pas. Leonis appuya le bâton contre un mur pour s'emparer d'un tabouret. Il s'installa devant le cachot. En souriant, il fixa le scribe avec l'insistance du chat qui regarde une souris. Mal à l'aise, Senmout baissa les yeux. Sans animosité, il affirma :

— Je ne suis pas l'espion, Leonis. Je vous épiais dans les jardins, mais ce n'était pas pour livrer des renseignements aux ennemis de l'Empire. Je... je ne faisais que mon... mon travail, tu comprends?

— Vous faites votre travail avec beaucoup trop de zèle, Senmout, rétorqua froidement l'adolescent. Lorsque vous vous êtes introduit dans ma chambre, était-ce également pour faire votre travail?

Le captif se massa vigoureusement les tempes. Il voulait parler, mais les mots demeuraient coincés dans sa gorge. Leonis mit fin à son supplice. Il annonça:

— Nous savons maintenant que vous n'êtes pas l'espion, scribe Senmout. Nous savons aussi pourquoi vous êtes entré chez moi sans y être invité.

Senmout émit un gémissement angoissé. L'enfant-lion reprit:

— Vous saviez que je n'étais pas dans la maison parce que vous nous aviez vus, mes amis et moi, dans le pavillon qui se trouve près du grand bassin. Ma demeure était déserte et vous en avez profité pour accomplir la première partie d'un plan perfide. Vous avez glissé cet objet dans mon sac...

Leonis avait ouvert sa main. Dans le creux de sa paume reposait un délicat bracelet d'or orné du nœud d'Isis. Le scribe serra les mâchoires. Ses traits exprimaient une grande détresse. Le sauveur de l'Empire fut satisfait de lire autant de honte sur les traits de ce méchant homme. Il savoura un moment l'anxiété de Senmout avant de continuer :

— Depuis mon arrivée au palais, il y a quelques mois de cela, vous n'avez jamais cessé de dire des choses blessantes à mon sujet. Vous disiez que je n'étais qu'un misérable esclave. Selon vous, je ne pouvais être l'enfant-lion annoncé par l'oracle de Bouto. Vous prétendiez que j'étais un minable, un voyou, un voleur. Pour prouver vos dires, vous avez glissé ce bracelet dans mon sac. Vous comptiez sans doute apprendre au vizir que vous m'aviez vu avec un bijou appartenant à la princesse Esa. Vous vouliez apporter la preuve que j'étais un vaurien, scribe Senmout. Vous désiriez me causer du tort parce que vous êtes un homme jaloux. L'envie vous poussait à épier nos gestes. Vous notiez chaque détail qui vous semblait inconvenant. Je serais curieux de jeter un coup d'œil sur la liste que vous avez dressée contre nous. Car, je sais lire, Senmout. Je ne suis pas né esclave, figurez-vous. Mon père était scribe. Mais, lui, il était gentil avec les gens. Il n'enviait personne. Vous devez être bien malheureux, mon vieux. Le venin que vous crachez doit certainement vous brûler le cœur. À vos yeux, un ancien esclave ne pouvait mériter plus de bienfaits que l'exceptionnel fonctionnaire que vous êtes. Vous n'êtes pas un espion, mais vous avez tout de même volé un bijou appartenant à la fille de Pharaon. Un acte semblable est grave. Je comprends la raison qui vous a empêché de nous dire la vérité. En étant reconnu coupable d'un tel geste, vous perdrez tout, scribe Senmout.

Le captif était maintenant secoué par les sanglots. D'une voix éteinte, il soupira :

— Je suis ignoble, Leonis. Tu as raison. Je suis jaloux de toi. Je travaille sans arrêt pour que tout soit parfait dans l'enceinte de ce palais. Malgré tout, tu possèdes beaucoup plus de choses que je n'en posséderai jamais. J'ai toujours eu du mépris pour les esclaves, les ouvriers, les soldats et les paysans. J'admire les gens qui sont d'un rang supérieur au mien et je respecte ceux qui sont mes égaux. Toi, tu… tu n'es qu'un esclave…

Leonis se leva. En souriant, il annonça :

— Peu importe, scribe Senmout. Même lorsque je besognais sur le chantier du palais d'Esa, je possédais déjà plus de richesses que vous n'en posséderez jamais. Vous ne m'aimez pas et sachez que j'éprouve la même chose à votre égard. Cependant, malgré les sentiments qui m'animent, je suis capable de reconnaître que vous êtes un homme travailleur et indispensable. Je vais rendre ce bracelet à la princesse Esa. Mes amis ne diront pas un mot de cette histoire. Le commandant Neferothep m'a fait la promesse de garder cela pour lui. Demain, à l'aube, vous quitterez ces cachots. Vous méritez bien de passer une autre nuit ici, non ? Vous pouvez me mépriser, scribe Senmout. En agissant ainsi, j'espère vous prouver qu'en dépit de mon passé d'esclave, je suis capable de me comporter avec la dignité des nobles. Vous, vous évoluez depuis des années dans l'entourage de Mykérinos. Pourtant, vous venez d'agir avec la bassesse d'un pilleur de tombes.

Leonis appela le gardien et quitta les cachots. Il avait fait plusieurs pas dans le couloir lorsqu'il entendit Senmout lui crier :

— Que Rê te protège, enfant-lion !

L'adolescent gravit l'escalier pour émerger dans l'air parfumé des jardins du palais royal. Ces derniers jours avaient été pénibles. L'Ombre ne causerait plus de tort à personne dorénavant. Toutefois, l'enfant-lion ne pouvait se réjouir de la mort de Tcha. Cet homme n'était pas un mauvais bougre, au fond. Il en voulait juste à la vie de l'avoir contraint à s'éveiller chaque matin dans la peau d'un monstre.

Demain, Senmout serait libéré. Sans le génie de Montu, le scribe aurait payé pour les crimes d'un autre. Cette conclusion apportait la preuve qu'il ne fallait pas juger les gens trop rapidement. L'enfant-lion espérait que Senmout serait moins hargneux désormais.

Depuis leur retour des marais, le sauveur de l'Empire et ses amis n'avaient connu aucun répit. En quelques jours, ils avaient démasqué l'Ombre. Ils avaient appris que Hapsout avait rejoint les rangs des adorateurs d'Apophis. Le vizir et Ankhhaef avaient avoué que Tati était prisonnière de l'ennemi. La déesse-chat avait heureusement affirmé à Leonis que sa petite sœur allait bien. L'adolescent pouvait de nouveau se transformer en lion. Deux adorateurs d'Apophis avaient été conduits aux cachots. L'Ombre avait mentionné que l'un d'eux ne pourrait rien leur apprendre. Cependant, la chose restait encore à prouver. Dans les prochains jours, il faudrait que Leonis, Montu et Menna s'accordent un peu de repos. Une fois de plus, ils l'avaient drôlement bien mérité.

L'enfant-lion leva les yeux. La lune n'était qu'un mince croissant. On eût dit qu'une énorme bête céleste avait mordu dans sa chair dorée. Le firmament était magnifique et apaisant à observer. Pourtant, la déesse Bastet avait dit que la colère de Rê viendrait de là-haut. Le sauveur de l'Empire se sentait bien petit sous ce ciel immense et ruisselant d'étoiles. Malgré tout, il avait la conviction qu'il pouvait sauver le royaume d'Égypte. Il le ferait pour que tous les rêves des hommes se concrétisent. Il songea à son avenir. Aurait-il un jour l'immense joie d'embrasser sa sœur ? La douce et belle Esa deviendrait-elle sa femme ? Dans dix ans, pourrait-il tenir sa main délicate dans la sienne en observant un ciel semblable ? Rien n'était encore gagné. Il restait neuf joyaux à trouver pour apaiser la colère du dieu-soleil. Leonis, Montu et Menna auraient encore bien des périls à affronter. La mort serait toujours là, planant au-dessus d'eux comme un vautour qui attend le dernier souffle d'une bête mourante.

LEXIQUE
DIEUX DE L'ÉGYPTE ANCIENNE

Apophis: Dans le mythe égyptien, le gigantesque serpent Apophis cherchait à annihiler le soleil Rê. Ennemi d'Osiris, Apophis était l'antithèse de la lumière, une incarnation des forces du chaos et du mal.

Atoum: Atoum s'engendra par sa propre substance au cœur des eaux primordiales (le Noun). Il fut à l'origine des divinités principales. Atoum partageait avec Ptah l'image du potier, du Créateur et de l'artisan du monde.

Bastet: Aucune déesse n'était aussi populaire que Bastet. Originellement, Bastet était une déesse-lionne. Elle abandonna toutefois sa férocité pour devenir une déesse à tête de chat. Si le lion était surtout associé au pouvoir et à la royauté, on considérait le chat comme l'incarnation d'un esprit familier. Il était présent dans les plus modestes demeures et c'est sans doute ce qui explique la popularité de Bastet. La déesse-chat, à l'instar de Sekhmet, était la fille du dieu-soleil Rê. Bastet annonçait la déesse grecque Artémis, divinité de la nature sauvage et de la chasse.

Hathor: Déesse représentée sous la forme d'une vache ou sous son apparence humaine. Elle fut associée au dieu céleste et royal Horus. Sous l'aspect de nombreuses divinités, Hathor fut vénérée aux quatre coins de l'Égypte. Elle était la déesse de l'Amour. Divinité nourricière et maternelle, on la considérait comme une protectrice des naissances et du renouveau. On lui attribuait aussi la joie, la danse et la musique. Hathor agissait également dans le royaume des Morts. Au moment de passer de vie à trépas, les gens souhaitaient que cette déesse les accompagne.

Horus: Dieu-faucon, fils d'Osiris et d'Isis, Horus était le dieu du Ciel et l'incarnation de la royauté de droit divin. Successeur de son père, Horus représentait l'ordre universel, alors que Seth incarnait la force brutale et le chaos.

Maât: Déesse de la vérité et de la justice, Maât est le contraire de tout ce qui est sauvage, désordonné, destructeur et injuste. Elle était la mère de Rê dont elle était aussi la fille et l'épouse (c'est une aberration, mais l'auteur n'invente rien!).

Osiris: La principale fonction d'Osiris était de régner sur le Monde inférieur. Dieu funéraire suprême et juge des morts et faisant partie des plus anciennes divinités égyptiennes, Osiris représentait la fertilité de la végétation et la fécondité. Il était ainsi l'opposé ou le complément de son frère Seth, divinité de la nuit et des déserts.

Ptah: Personnage au crâne rasé et enserré de bandelettes de lin blanc, on représentait Ptah par un potier. On vénérait ce dieu en tant qu'artisan du monde. Il était le souffle à l'origine de la vie. Cette divinité était principalement vénérée à Memphis.

Rê: Le dieu-soleil. Durant la majeure partie de l'histoire égyptienne, il fut la manifestation du dieu suprême. Peu à peu, il devint la divinité du Soleil levant et de la Lumière. Il réglait le cours des heures, des jours, des mois, des années et des saisons. Il apporta l'ordre dans l'univers et rendit la vie possible. Tout pharaon devenait un fils de Rê, et chaque défunt était désigné comme Rê durant son voyage vers l'Autre Monde.

Sekhmet: Son nom signifie « la Puissante ». La déesse-lionne Sekhmet était une représentation de la déesse Hathor. Fille de Rê, elle était toujours présente aux côtés du pharaon durant ses batailles. Sekhmet envoyait aux hommes les guerres et les épidémies. Sous son aspect bénéfique, la déesse personnifiait la médecine et la chirurgie. Ses pouvoirs magiques lui permettaient de réaliser des guérisons miraculeuses.

Seth: Seth était la divinité des déserts, des ténèbres, des tempêtes et des orages. Dans le mythe osirien, il représentait le chaos et la force impétueuse. Il tua son frère Osiris et entama la lutte avec Horus. Malgré tout, il était considéré, à l'instar d'Horus, comme un protecteur du roi.

PHARAONS

Khéops (aux alentours de 2604 à 2581 av. J.-C.) : Deuxième roi de la IVe dynastie, il fut surnommé Khéops le Cruel. Il fit construire la première et la plus grande des trois pyramides de Gizeh. La littérature du Moyen Empire le dépeint comme un souverain sanguinaire et arrogant. De très récentes études tendent à prouver qu'il est le bâtisseur du grand sphinx de Gizeh que l'on attribuait auparavant à son fils Khéphren.

Khéphren (de 2572 à 2546 av. J.-C.) : Successeur de Djedefrê, ce pharaon était l'un des fils de Khéops et le bâtisseur de la deuxième pyramide du plateau de Gizeh. Il eut un règne prospère et paisible. La tradition rapportée par Hérodote désigne ce roi comme le digne successeur de son père, un pharaon tyrannique. Cependant, dans les sources égyptiennes, rien ne confirme cette théorie.

Bichéris (Baka) (de 2546 à 2539 av. J.-C.) : L'un des fils de Djedefrê. Il n'a régné que peu de temps entre Khéphren et Mykérinos. Il projeta et entreprit la construction d'une grande pyramide à Zaouiet el-Aryan. On ne sait presque rien de lui. L'auteur de Leonis lui a décerné le rôle d'un roi déchu qui voue un culte à Apophis. La personnalité maléfique de Baka n'est que pure fiction.

Mykérinos (de 2539 à 2511 av. J.-C.) : Souverain de la IVe dynastie de l'Ancien Empire. Fils de Khéphren, son règne fut paisible. Sa légitimité fut peut-être mise en cause par des aspirants qui régnèrent parallèlement avant qu'il parvienne à s'imposer. D'après les propos recueillis par l'historien Hérodote, Mykérinos fut un roi pieux, juste et bon qui n'approuvait pas la rigidité de ses prédécesseurs. Une inscription provenant de lui stipule : « Sa Majesté veut qu'aucun homme ne soit pris au travail forcé, mais que chacun travaille à sa satisfaction. » Son règne fut marqué par l'érection de la troisième pyramide du plateau de Gizeh. Mykérinos était particulièrement épris de sa grande épouse Khamerernebty. Celle-ci lui donna un enfant unique qui mourut très jeune. Selon Hérodote, il s'agissait d'une fille, mais certains égyptologues prétendent que c'était un garçon. On ne connaîtra sans doute jamais le nom de cet enfant. La princesse Esa que rencontre Leonis est un personnage fictif.

Ramsès 2 : (1304 av J-C - 1236 av J-C à l'age environ 92 ans) il a règne pendant 67 annèes. C'était le Pharaon des Pharaons, Abou Simbel